Jane   1
       2
       ?
       ?
       4
       V

       Marc St   Ecousse et GB

Jac I   VI ——————

             son 1688
Jac II ——   VII —————— daughter Anne Gr
                          William O range CB

             VIII   Anne 1713 ANN CB

                                 George G
690
Boure
X W
Rod Boure

J.-J.-E. Roy

Le dernier
des Stuart

Yoran embanner

Dans la même collection

Le Bezen Perrot (Kristian Hamon).
La Bretagne n'a pas dit son dernier mot (Marcel Texier).
Colonel Armand – Marquis de la Rouërie (Hervé Le Bévillon).
FLB-ARB L'histoire 1966-2005 (Lionel Henry et Annick Lagadec).
Luttes écologistes dans le Finistère (Tudi Kernalegenn).
Les nationalistes bretons sous l'Occupation (Kristian Hamon).
Roparz Hemon, un Breton redécouvrant la Bretagne (Michel Treguer).
Les Templiers en Bretagne (Guillotin de Corson).

Nous tenons à remercier Yann Goasdoué et Benoît Thiériot qui nous ont aidés pour les transcriptions musicales des airs jacobites. Christian Souchon nous a permis d'utiliser ses traductions de ces mêmes chansons, qu'il en soit remercié. Et nous invitons vivement nos lecteurs à aller visiter son site, et la rubrique très exhaustive qu'il consacré aux chants jacobites, à leur histoire, aux différentes versions de chacun, sans oublier les paroles en français, anglais et parfois gaélique. www.chrsouchon. com

Merci aussi à Bernard Le Nail à qui nous devons la notice biographique consacrée à Just-Jean Étienne Roy, et qui a attiré notre attention sur les origines bretonnes des Stuart ainsi que sur le rôle joué par le Malouin Marion Dufresne dans le retour de Charles-Édouard Stuart en France. Et tous nos remerciements à Gwendal Lazzara (dessin page 4), Jean-Noël Le Doaré (blasons), Claude Boissière (cartes), Grant et Chantal Johnston.

ISBN 2-914855-23-0

Illustration de couverture-: Yoran Delacour
Maquette de couverture-: Jean-Noël Le Doaré

© 2006 – Yoran Embanner – 71 hent Mespiolet – 29170 Fouesnant
yoran.embanner@gmail.com

Réédition de l'éditions originale de 1855, A. Mame et Cie, Tours.

Sommaire

Préface... 7
Introduction 11

Chapitre I 17
Chapitre II 25
Chapitre III 39
Chapitre IV 49
Chapitre V 63
Chapitre VI 75
Chapitre VII 81
Chapitre VIII 91
Chapitre IX 99
Chapitre X 109
Chapitre XI 119
Chapitre XII 129
Chapitre XIII 143
Chapitre XIV 153

Postface 163

Cartes 175

La déclaration d'Arbroath 178
Les presbytériens d'Écosse.. 180
Roderick MacKenzie 182
Just-Jean-Étienne Roy (1794-1872) 183

Les chants jacobites 185
   The Blackbird, Le Merle – Here's to the king, À la santé du roi – My
   bonnie moorhen – Ye Jacobites by Name – Charlie is my darling –
   Loch Lomond – Wae's me for Prince Charlie – Flora McDonald's
   lament – Skye Boat Song
Blasons .... I à VIII

GWEN 06

Préface

Le vent qui s'éveille sur la lande vient comme un soupir
Comme la voix des héros qui périrent en vain :
Ce n'est pas pour le Prince que les rouges épées jaillirent
Mais pour le retour du vieux monde qui ne reviendra point.
Andrew Lang.

Quel que soit le prétexte d'une première visite en Écosse, la présence d'un prince sur qui s'acharna un sort particulièrement funeste vous assaille. Des mélodies sentimentales que reprennent en chœur les groupes dans les tavernes à touristes jusqu'aux emballages des shortbreads (ces sablés écossais si délicieux et roboratifs qu'il faut recourir à l'autre spécialité locale, infiniment plus fluide, pour en favoriser le flux), la figure de Charles-Édouard Stuart, dit *Bonnie Prince Charlie*, demeure omniprésente et parfois même obsédante. L'iconographie romantique, particulièrement généreuse en la circonstance, n'a pas lésiné sur les représentations du jeune Stuart prenant pied le 24 juillet 1745, parmi les îles et les lochs, sur la côte ouest de l'Écosse, courant les Highlands dans une chevauchée périlleuse, ralliant les chefs de clans et brandissant bien haut, à Glenfinnan, l'étendard glorieux des libertés écossaises trop longtemps bafouées et à reconquérir prestement.

Pourtant, au-delà de cette effusion sentimentale qu'entretiennent de douces images d'Épinal, il vous apparaîtra bien vite qu'une autre partie s'est jouée autour du jeune homme entartané. Les notes guerrières de la cornemuse annoncèrent la nécessité d'un soulèvement libérateur des Hautes Terres et de l'Écosse tout entière, mais c'est dans un long *lament* que s'acheva la folle aventure, quelques mois plus tard, en avril 1746, à Culloden, près d'Inverness. Car ce ne fut pas seulement l'affrontement tragique de deux armées aux forces inégales qui eut lieu sur les bruyères sanglantes de la lande de Drumossie. Ce fut la fin d'une histoire, le terme d'une culture. Un vieux monde, l'épée brandie dans un sursaut désespéré, rendait les derniers soupirs, avec vaillance certes, mais massacré par un nouvel ordre qui le jugeait sans valeur et sans mérites. La figure étrangement charismatique de Charles-Édouard Stuart, le jeune prince, incarnera désormais les charmes rêvés de l'âge d'or, la gloire enfuie et les vivantes nostalgies. Le son du pibroch, longue et inextinguible lamentation, résonne toujours sur la lande et dans les cœurs. Pour l'amour de Bonnie Prince Charlie, ou pour une beauté plus profonde dont il flatta l'espérance et incarne aujourd'hui encore l'éternel regret?

Quand, en 1855, Just-Jean Étienne Roy[1] publie un ouvrage consacré à Charles Édouard Stuart, c'est un modèle que notre polygraphe souhaite offrir à l'admiration de ses jeunes lecteurs : un prince, catholique bien sûr, et issu d'une lignée aussi fervente qu'intransigeante. Par le ton comme par son agencement, le récit relève de l'évocation romanesque autant que de l'étude historique. Le rythme très enlevé qui accompagne la succession des épreuves, des dangers, des heureux hasards ou des fatales malchances ne pouvait que faire vibrer un public attiré par les grands sentiments et les périls extrêmes.

J.-J. E. Roy convoque tout ce qui exalte les qualités de Charles Édouard Stuart : la piété filiale, le courage, le dévouement, la simplicité, et puis la grandeur d'âme face à l'adversité. L'auteur ne manque pas de mettre en lumière les coups bas, les trahisons et les mensonges forgés par l'ennemi anglais pour ruiner l'influence du prince et saper l'attrait qu'il exerce sur ses compatriotes. Effets simplificateurs parfois, dira-t-on, mais l'auteur ne s'est-il pas fixé pour devoir d'éduquer la jeunesse, et d'y parvenir en exaltant les hauts sentiments qui forgent les caractères bien trempés ? On remarquera qu'on n'hésitait pas alors à 'faire la morale' par le biais d'ouvrages d'une belle densité.

Fort du but recherché, J.-J. E. Roy joue très habilement de la concentration de l'écoulement du temps. La vie de Charles-Édouard Stuart est tout entière enclose dans ce récit, puisque le premier chapitre s'attache au destin des Stuarts à partir du moment où Jacques II (Jacques VII d'Écosse)[2] est contraint d'abdiquer, laissant la couronne à sa propre fille Marie et à son gendre Guillaume d'Orange, et que l'ouvrage se termine, ou peu s'en faut, par l'épitaphe latine gravée sur

---

[1] Voir en fin de volume, À propos de l'auteur.
[2] Lorsque Jacques VI d'Écosse, fils de Marie Stuart, hérite la couronne d'Angleterre, il prend le titre de Jacques Ier. Pour simplifier

la tombe vaticane du prince. Mais entre les prémices et le terme de la vie de Charles-Édouard, l'auteur consacre la presque totalité de ses pages à la jeunesse du prince. Il détaille la période durant laquelle, régent du roi son père, Charles-Édouard tente de rallier la cour de France à sa cause. Et il donne toute l'importance nécessaire aux quinze mois de l'expédition d'Écosse, entre juillet 1745 où il embarque à Saint-Nazaire vers son royaume à reconquérir et septembre 1746 où il débarque à Roscoff, tout espoir perdu.

Car si Charles-Édouard Stuart a été le héros d'une brève période de gloire, suivie d'une longue vie d'exil et d'amertume, J.-J.-E Roy s'est concentré sur l'épopée flamboyante où le Stuart, âgé de vingt-quatre ans, se transforma en Bonnie Prince Charlie et fut ainsi frappé d'un renom quasi immortel. L'auteur se range dans le camp de ceux qui demeurent sensibles au charme du personnage, à ses exploits et à ses malheurs, image colorée et édifiante d'une grandeur dont Charles fut l'héritier et le champion. Car, chantant ainsi les exploits du prince, *le Dernier des Stuart* rend implicitement hommage à l'ancienne nation écossaise, à son goût de la liberté, à son indépendance d'état et d'esprit. Cette indépendance qu'en 1320 déjà, trente-huit seigneurs écossais proclamaient à Arbroath, jetant les bases de la Nation écossaise.[3]

Plus encore que dans l'équipée vers Londres à travers l'Angleterre, plus encore que dans les victoires de 1745, le récit prend toute son ampleur lorsque Charles-Édouard Stuart, proscrit et pourchassé sans répit, vagabonde pendant près de cinq mois à travers les Highlands et les îles, sans pratiquement jamais être dénoncé, malgré l'extraordinaire récompense promise aux délateurs.

Dans le dénuement et le danger, terré dans les grottes, errant sur les eaux, rongé de vermine et affamé, le prince connaît la double grâce du courage extrême dont il fait preuve, et du dévouement absolu dont il est l'objet. Car une dévotion presque mystique entoure l'héritier du trône d'Écosse, une dévotion qui, à l'exemple de Roderick MacKenzie[4], atteindra parfois la sombre aura du conte macabre et la dimension du martyre.

---

[3] *Voir en fin de volume documents : La déclaration d'Arbroath.*
[4] *Voir en fin de volume.*

notre auteur a la bonne grâce de ne pas trop s'attarder, l'Histoire se désintéresse de lui. Peu importe, la légende a pris le relais. Elle a confié à la mémoire écossaise un prince solitaire qui débarqua un jour dans un royaume qui ne l'attendait plus ; il clama sa foi en son pays et en son destin, affronta l'adversité et des périls mortels ; après une folle fuite, il reprit la mer, son rêve brisé et sa vie pourtant miraculeusement sauvée ! Les chants et les poèmes prirent leur envol ; longtemps après William Wallace, l'Écosse honorait un nouveau héros sacrificiel.

Cette fois, ni les lois, ni les canons, encore moins la hache du bourreau, ne purent arrêter la transfiguration du Prince…

Claudine Glot

*« Dussé-je être le seul en Écosse à tirer l'épée,
je suis prêt à mourir pour vous. »*

Introduction

*«Il se fit un jour une alliance entre le malheur et la fortune,
et ce fut sur la famille des Stuart[1] que leurs coups allèrent
frapper. »*
(Atlas historique *de Lesage)*

L'épigraphe que l'on vient de lire résume d'une manière aussi concise qu'énergique l'histoire de cette race royale, dont les annales nous déroulent une suite d'infortunes héréditaires telles que jamais famille princière n'en a présenté une série aussi complète. En effet, sur quinze souverains de cette dynastie qui ont régné tant sur l'Écosse indépendante que sur les royaumes réunis de la Grande-Bretagne, deux ont été assassinés par leurs propres sujets (Jacques Ier et Jacques III), deux ont été tués sur les champs de bataille (Jacques II et Jacques IV), deux ont péri sur l'échafaud (Marie Stuart et Charles Ier), deux autres, plus malheureux encore que ceux que nous venons de citer, sont morts de chagrin (Robert III et Jacques V) ; enfin, celui qui le dernier a porté la couronne (Jacques II pour l'Angleterre et VI pour l'Écosse) a été détrôné par son gendre et est mort en exil, léguant à ses descendants, avec ses titres légitimes de roi, les disgrâces et les revers attachés à son nom.

Jacques II, après avoir été chassé d'Angleterre par son gendre Guillaume d'Orange (1688), se retira en France, où Louis XIV l'accueillit en roi, et lui donna pour résidence le château de Saint-Germain-en-Laye. Il ne se contenta pas de lui accorder une royale hospitalité, il voulut l'aider à recouvrer son trône. Il lui confia une flotte et une armée avec lesquelles Jacques II se rendit en Irlande, où il perdit la bataille de la Boyne (juin 1690), et revint à Saint- Germain.

---

[1] *L'usage veut aujourd'hui que les noms des dynasties s'accordent si leur forme est francisée. Mais JJ-E Roy reste fidèle au non-accord pluriel des noms propres. Ce que nous respectons ici. Par contre, il accorde, à la manière anglaise, les noms des familles ou des clans écossais*

Louis XIV voulut tenter encore le sort des armes en faveur du roi déchu ; mais Jacques vit du cap de la Hogue [2] la destruction de la seconde flotte, qui devait le porter une seconde fois dans les trois royaumes. «Ma mauvaise étoile, écrivit-il à Louis XIV, a fait sentir son influence sur les armes de Votre Majesté, toujours victorieuses jusqu'à ce qu'elles aient combattu pour moi ; je vous supplie donc de ne plus prendre intérêt à un prince aussi malheureux.»

Louis XIV sentit la valeur de ces paroles, et son intérêt redoubla pour son auguste client : il arma encore en 1696 pour le soutien du parti jacobite, et, s'il ne put réussir dans aucune de ses tentatives, au moins l'histoire ne peut lui reprocher d'avoir rien négligé pour la défense d'une cause qui était celle de la royauté légitime. On n'en peut dire autant de son successeur Louis XV, ainsi que nous le verrons dans le cours de cette histoire.

Jacques II refusa de monter au trône de Pologne, que son royal hôte se chargeait de lui faire obtenir. À l'époque du traité de Riswick[3], Louis XIV, qui allait être forcé de reconnaître Guillaume pour roi d'Angleterre, proposa à Guillaume de reconnaître à son tour pour son héritier le jeune fils de Jacques. Le prince d'Orange, qui n'avait point d'enfants, y consentait ; Jacques s'y refusa. «Je me résigne à l'usurpation du prince d'Orange, dit-il ; mais mon fils ne peut tenir la couronne que de moi ; l'usurpation ne saurait lui donner un titre légitime.»

Jacques II passa le reste de son exil à écrire les mémoires de sa vie ; la piété lui tenait lieu de puissance ; retiré dans sa conscience, empire dont il ne pouvait être chassé, ses souvenirs le faisaient vivre dans le passé, sa religion dans l'avenir. Il avait écrit de sa propre main cette courte prière : «Je vous remercie, ô mon Dieu, de m'avoir ôté trois

---

[2] *L'auteur fait allusion à la bataille de La Hougue. Le 29 mai 1692, le vice-amiral de Tourville faisait voile vers vers la Hougue. Dans la rade l'attendaient 12 bataillons irlandais et 9 français, des bâtiments ; 12 escadrons de cavalerie avaient été rassemblés au Havre. Ces troupes devaient débarquer à Portland, en Angleterre, sous le commandement de Jacques II Stuart. Malgré une attaque initialement victorieuse contre des bâtiments anglo-hollandais, une partie de la flotte de Tourville ne parvient pas à franchir la pointe du Cotentin (le Raz Blanchard) et revient s'échouer à Cherbourg et à La Hougue, où elle est canonnée ou incendiée par l'ennemi, les 2 et 3 juin.*
[3] *Aujourd'hui on écrit plutôt Ryswick.*

royaumes, si c'était pour me rendre meilleur.» Il mourut en paix à Saint-Germain, le 16 septembre 1701.[4]

Jacques II laissait un fils, né le 10 juin 1688, et qui par conséquent avait treize ans à la mort de son père. Louis XIV ayant déclaré qu'il le reconnaissait pour roi d'Angleterre, tous les Anglais présents à Saint-Germain au moment de la mort de Jacques II se prosternèrent, et ils s'écrièrent en versant des larmes d'attendrissement : *God save the king!*

La mort de Guillaume III, qui suivit de près celle de Jacques II, vint ranimer les espérances de la cour de Saint-Germain. Anne, seconde fille de Jacques II, de sa première femme, avait été appelée à succéder à Guillaume ; elle avait été mariée à Georges, prince de Danemark, dont elle avait eu dix-neuf enfants, mais tous morts avant elle. Le prétendant ne voulait pas détrôner sa sœur ; mais il désirait lui faire adopter un plan suivant lequel la couronne lui aurait été rendue après sa mort. Ce projet fut adopté sans difficulté par l'Écosse, qui n'était pas encore réunie à l'Angleterre.

La réunion de l'Écosse à l'Angleterre, qui eut lieu en 1706, exaspéra tellement le peuple du premier de ces royaumes, que les chances y devinrent encore plus favorables au fils de Jacques II. Il fut même proclamé roi d'Écosse dans plusieurs localités ; mais ce jeune prince se défiait de la fortune ; il ne croyait pas pouvoir rien entreprendre sans l'assistance de Louis XIV ; et dans ce moment le monarque français était engagé dans une guerre contre toute l'Europe, à l'occasion de la succession d'Espagne. Cependant, on lui fit une peinture si séduisante du dévouement que les Écossais conservaient pour leurs anciens maîtres, que Louis XIV fit équiper à Dunkerque une escadre portant des troupes de débarquement. Le chevalier de Forbin, qui la commandait, se dirigea au nord d'Édimbourg (1708). Il eut un engagement avec une flotte anglaise fort supérieure à la sienne. Le débarquement ayant été jugé impraticable, le prétendant insista fortement pour être mis à terre ; Forbin s'y refusa et ramena le prince, qui rejoignit en Flandre l'armée du duc de Bourgogne, sous lequel il fit ses premières armes. Il servit aussi sous Villars, et se distingua par sa valeur à la bataille de Malplaquet. Ce fut à cette époque qu'il prit le nom de *chevalier de Saint-Georges*, sous lequel il fut communément désigné par la suite.

---

[4] *Chateaubriand*, les Quatre Stuart.

En 1713, on pensa que la reine Anne, dont la santé chancelante annonçait une mort prochaine, ne ferait aucune difficulté de désigner son frère pour son héritier, de préférence à son petit-cousin, le duc de Brunswick, désigné, pour lui succéder, par l'acte du parlement dit d'*Établissement*. Un grand nombre de whigs même eussent vu avec plaisir l'héritier légitime remonter sur le trône. Enfin une seconde restauration paraissait tellement une affaire arrangée, que les anglicans zélés demandèrent pour toute condition que Jacques, avant de se présenter à ses sujets, abjurât le catholicisme. Jacques III, se montrant digne fils de celui qui remerciait Dieu de lui avoir ôté trois couronnes si c'était pour son salut, répondit avec résolution qu'il n'accepterait jamais le trône à ce prix. Les politiques de son parti lui proposèrent alors de laisser dire au moins qu'il avait embrassé la religion anglicane... Il refusa avec énergie de se prêter à ce mensonge indirect. Il se contenta d'écrire à ceux qui lui avaient fait cette demande une lettre dans laquelle il garantissait à chacun l'exercice libre de sa religion, demandant pour lui la même liberté qu'il accordait aux autres. «On ne doit pas, disait-il en terminant, me savoir mauvais gré d'user de la faculté que j'accorde aux autres, d'adhérer à la religion que leur conscience leur indique pour la meilleure.»

Mais, tandis que ce prince infortuné se consumait ainsi en efforts secrets, les cours de Versailles et de Saint-James décidaient de son sort, et en faisaient une des conditions de la paix d'Utrecht (1713). La succession de la couronne d'Angleterre dans la ligne protestante fut reconnue par Louis XIV, qui, cédant au besoin impérieux de la paix, consentit même à éloigner de ses États le chevalier de Saint-Georges. Secrètement averti, ce prince s'était déjà retiré à Bar, en Lorraine.

La mort de la reine Anne, arrivée le 12 août 1714, rendit un nouvel espoir au chevalier de Saint-Georges. Malgré l'installation de l'électeur de Hanovre sur le trône d'Angleterre, sous le nom de Georges Ier, les partisans des Stuart ne cessaient de s'agiter sur tous les points de la Grande-Bretagne. Louis XIV pouvait même se croire délié jusqu'à un certain point, par la mort de la reine Anne, des engagements qu'il avait pris; mais ce prince mourut, et l'autorité passa entre les mains du duc d'Orléans, qui entra aussitôt dans des relations très étroites avec Georges Ier. Lord Stair, ambassadeur du nouveau roi d'Angleterre, demanda au régent de faire sortir du royaume le chevalier de Saint-Georges, qui était revenu depuis longtemps à Paris. Philippe d'Orléans refusa noblement d'expulser de France un prince qui, comme lui, était arrière-petit-fils de Henri IV[5]. Nous verrons que Louis XV, dans une circonstance toute semblable, agit bien différemment envers le fils du chevalier de Saint-Georges.

Le prétendant, néanmoins, sentant tout ce que sa position avait de critique, résolut de tenter la fortune. Il envoya l'ordre à ses partisans de lever le masque. Ils lui obéirent, et coururent aux armes sous les ordres du comte de March[6], ils proclamèrent le prince roi d'Écosse sous le nom de Jacques VIII (1715). Sur la nouvelle de l'insurrection, Jacques s'embarqua incognito à Dunkerque, et descendit sur les côtes d'Écosse. Mais le comte de March s'était laissé battre, et l'insurrection était à peu près étouffée quand il arriva ; les choses empirèrent encore malgré sa présence, et il se vit bientôt contraint de repasser en France. Cette fois, le duc d'Orléans ne put résister aux instances de l'ambassadeur d'Angleterre ; il invita le prétendant à quitter la France, en lui indiquant Avignon pour sa résidence. Mais après le traité de la triple alliance, en 1717, entre la France, l'Angleterre et la Hollande, le gouvernement anglais voulut que le prétendant quittât Avignon. Le pape Clément XI lui offrit un asile digne de lui, dans la capitale du monde chrétien ; le chevalier de Saint-Georges s'empressa de l'accepter. Le souverain pontife lui rendit tous les honneurs dus à la royauté.

Peu de temps après son arrivée à Rome, des négociations s'ouvrirent pour son mariage avec la princesse Marie-Casimire-Clémentine Sobieska, petite-fille du grand Sobieski. Mais l'empereur Charles VI, dont la princesse était parente, se montra opposé à ce mariage ; il fit arrêter la princesse dans le Tyrol, qu'elle traversait pour se rendre auprès de son futur époux.

À cette époque, le chevalier de Saint-Georges reçut de Philippe V l'invitation la plus pressante de se rendre en Espagne. Il y fut reçu en

---

[5] *Henriette de France, fille d'Henri IV et de Marie de Médicis, avait épousé Charles Ier Stuart. Ils eurent pour fils Charles II et Jacques II. Henriette de France est donc la grand'mère de Jacques III. Le Vieux Prétendant était de ce fait le cousin de Louis XIV, et tous deux étaient bien les petit-fils du bon roi Henri.*

[6] *Le comte de March, de Mar ou Marr. D'abord défenseur du parti du roi hanovrien d'Angleterre, il se range ensuite aux côtés des Jacobites et perd de manière inexplicable la bataille de Sheriffmuir le 13 novembre 1715.*

roi : Valladolid lui fut offert pour sa résidence. Philippe lui dit qu'il y serait traité comme le roi son père l'avait été à Saint-Germain par Louis XIV.

L'Espagne faisait alors la guerre à la France, ou plutôt au régent. La paix s'étant rétablie, le prétendant jugea convenable de retourner à Rome, où il fut bientôt rejoint par la princesse Sobieska, qui s'était échappée du couvent où Charles VI l'avait fait enfermer. Le Ier septembre 1719, Jacques Stuart et la princesse Sobieska furent solennellement unis en mariage par le souverain pontife Clément XI.

J.-J.-E. ROY

Chapitre I

Après trente-deux ans d'exil, après tant d'illusions détruites, tant de déceptions éprouvées, une joie bien vive vint tout à coup soulager le cœur du roi proscrit, et rendre à ses fidèles partisans toutes leurs espérances. Un fils lui était né, et cette faveur du Ciel, qu'il avait si longtemps sollicitée, et qu'avait aussi implorée pour lui le souverain pontife Clément XI, lui était accordée au moment où le découragement commençait à s'emparer de ses amis les plus dévoués, et où lui-même était tenté de ne plus regarder que comme une amère dérision le vain titre de roi de la Grande-Bretagne que lui donnaient encore ses partisans et quelques souverains catholiques. Mais la naissance d'un fils n'était-elle pas le présage d'un meilleur avenir ? N'était-elle pas un signe providentiel annonçant que le courroux du Ciel allait enfin cesser de s'appesantir sur la race de Stuart ? Et n'était-on pas en droit d'espérer que le dernier rejeton de cette illustre famille, né sur le sol étranger loin des agitations et des haines des partis soulevés contre son aïeul, trouverait ces agitations calmées et ces haines apaisées quand il serait en âge de réclamer ses droits ?

Telles étaient les pensées, que cet heureux événement faisait naître dans l'esprit du chevalier de Saint-Georges, ou plutôt de Jacques III d'Angleterre ; car en ce moment il attachait à ce titre un prix tout nouveau, puisqu'il ne mourrait pas avec lui, et qu'il pouvait le transmettre à un héritier. Si ces pensées n'étaient encore que de vaines illusions, elles se présentaient toutefois bien naturellement à l'esprit, et elles étaient partagées par tous ceux qui s'intéressaient à ces illustres exilés, par le pape lui-même, par toute sa cour, par la plupart des ambassadeurs et des seigneurs étrangers, et surtout par cette foule de nobles Anglais, Écossais et Irlandais, accourus à Rome pour assister à la naissance d'un héritier légitime de la triple couronne de l'empire britannique. Et ce qui devait encore contribuer à augmenter l'illusion, c'est que cette naissance fut célébrée avec autant de pompe que si elle avait eu lieu à Londres, dans le palais des rois. Au moment où elle fut annoncée, le 31 décembre 1720[1], le canon du château Saint-Ange fit entendre une salve de cent un coups, comme il est d'usage à la naissance d'un prince royal ; un Te Deum solennel fut chanté dans la chapelle Sixtine en présence du souverain pontife ; il y eut des réjouissances publiques, et des courriers partirent pour les diverses cours de l'Europe afin d'y notifier cet heureux événement.

Le nouveau prince reçut au baptême le nom de Charles-Édouard-Louis-Philippe-Casimir. Son éducation fut celle d'un prince que l'on croyait réservé à de hautes destinées. Il eut au nombre de ses précepteurs le chevalier de Ramsay [2], l'élève et l'ami de Fénelon, et qui avait appris de l'illustre précepteur du duc de Bourgogne l'art de diriger l'éducation d'un roi futur. Aux études sérieuses on joignit celle des beaux-arts, pour lesquels le prince montra de bonne heure ce goût prononcé et comme naturel à tout enfant né sous le beau ciel de l'Italie, puis l'étude des langues vivantes ; et bientôt le jeune Charles-Édouard parla avec une égale facilité l'anglais, l'italien et le français. Mais l'enseignement que M. de Ramsay s'attachait surtout à donner à son royal élève avait pour but de lui apprendre l'art si difficile de régner. Dans ses leçons, dont il a fait un livre[3], il ne faisait que développer les maximes de Fénelon sur la politique, et sur la morale appliquée à la politique. Quoiqu'il s'attachât d'une manière plus particulière à l'étude du gouvernement anglais, puisqu'il s'adressait à un prétendant à la couronne d'Angleterre, il n'entrait pas moins dans l'examen approfondi de toutes les questions politiques qui se rapportent aux différentes formes de gouvernement. «Et sur un pareil sujet, dit l'historien de Fénelon, il est difficile de

---

[1] *Ou plutôt le 20 décembre, l'Angleterre n'ayant adopté la réforme du calendrier grégorien qu'en 1751.*

[2] *Le chevalier de Ramsay, d'une ancienne et noble famille d'Écosse. Dès sa jeunesse il montra un vif intérêt pour les sciences, ce qui ne manqua pas de perturber sa foi protestante. Il finit par trouver sa vérité auprès de Fénelon et se convertit au catholicisme. Nommé gouverneur du duc de Château-Thierry et du prince de Turenne, il fut ensuite chargé de l'éducation des fils de Jacques II.*

[3] *Essai sur le gouvernement civil.*

réunir des idées plus justes et plus saines, de les présenter sous une forme plus claire et plus à la portée de tous les esprits raisonnables, et de les discuter avec une impartialité plus exempte de prévention ou d'enthousiasme, que ne l'a fait M. de Ramsay[4]. »

Ces leçons ne furent pas perdues pour le jeune Charles-Édouard, quoiqu'il ne lui fût pas donné d'en profiter longtemps, et que l'intrigue forçât bientôt son précepteur à s'éloigner. Mais l'élève, malgré la légèreté de son âge, malgré son goût pour les arts d'agrément, avait compris toute l'importance du rôle qu'il pourrait être un jour appelé à jouer, et cette pensée de sa destinée future lui donnait souvent un air rêveur et parfois sévère, qui contrastait avec la grâce et l'enjouement de son jeune frère ; car, cinq ans après sa naissance, le 20 mars 1725, sa mère avait donné le jour. à un second fils, qui reçut le titre de duc d'York et les prénoms de Henri-Benoît-Édouard-Alfred-LouisThomas.

En 1735, le duc de Liria, fils du maréchal de Berwick, issu du sang royal des Stuart, passa par Rome pour aller prendre le commandement de l'armée espagnole qui assiégeait Gaëte. Il demanda à Jacques III de lui confier son fils, alors âgé de quatorze ans, pour lui faire faire ses premières armes. Charles-Édouard, enchanté de recevoir les premières leçons de l'art de la guerre à l'école d'un capitaine qui avait conquis une haute renommée militaire, joignit ses instances à celles du duc, et obtint l'autorisation si désirée. Avant son départ, il alla prendre congé de Sa Sainteté, qui lui fit remettre trois mille scudi pour les frais de son équipement. En arrivant à l'armée, il fut accueilli avec la plus grande distinction par le jeune prince don Carlos d'Espagne, qui le salua des titres d'Altesse Royale et de prince de Galles[5]. Pour lui donner un gage de son affection particulière, don Carlos détacha un diamant de son chapeau et, le fixa au chapeau de Charles-Édouard.

Quant à la manière dont il se montra dans cette première campagne, nous n'aurons, pour la faire connaître, qu'à citer ce passage d'une lettre écrite par le duc de Liria à son frère le duc de Fitzjames. « Immédiatement après son arrivée, dit le duc, il m'accompagna à la tranchée, où il paraissait n'avoir guère souci des balles qui sifflaient autour de nous.

---

[4] Histoire de Fénelon, *par M. de Bausset, t. III, p. 517.*
[5] *Le titre de prince de Galles n'appartient qu'au fils aîné des rois d'Angleterre, héritier présomptif de la couronne. Les partisans des Stuart donnent fréquemment ce nom au prince Charles-Édouard, mais l'histoire ne le lui a pas conservé.*

Le lendemain, j'étais dans une maison un peu à l'écart, et que les assiégés me forcèrent de quitter en y faisant tomber cinq à six boulets. Le prince de Galles vint m'y joindre, et aucune représentation sur le danger qu'il courait ne put l'empêcher d'y entrer. Il y demeura quelque temps avec un admirable sang-froid, quoique les murs fussent criblés de balles. Son Altesse Royale, en un mot, nous a prouvé que, chez les hommes nés pour être des héros, la valeur n'attend pas les années[6]. Me voici délivré de ces causes d'inquiétude, et je jouis de la satisfaction de voir le prince adoré par les officiers et les soldats. Il a des manières charmantes, et, s'il en était autrement, je vous le dirais en confidence. Demain nous partons pour Naples, où je ne doute pas qu'il ne captive les Napolitains aussi bien que nos troupes. Il n'a pas besoin qu'on lui souffle ce qu'il doit dire. Plût à Dieu que les plus cruels ennemis de la maison de Stuart eussent été témoins de sa conduite pendant ce siège ! Il en aurait, je crois, ramené plusieurs. Je remarque surtout en lui une physionomie heureuse qui promet beaucoup...»

Pendant la traversée de Gaëte à Naples, le chapeau du prince tomba à la mer ; comme les matelots s'empressaient de mettre une chaloupe à flot pour aller le chercher : «Non, non, s'écria-t-il, en les arrêtant, ne prenez pas cette peine ; le courant l'entraînera probablement bien loin dans la mer, et le portera sans doute en Angleterre, où j'irai tôt ou tard le chercher moi-même.»

À Naples, il eut tous les succès qu'avait espérés pour lui le duc de Liria. À son retour à Rome, son père l'embrassa avec un juste orgueil, et lui permit, l'année suivante, d'aller assister à une campagne des alliés en Lombardie. Deux années plus tard, en 1737, Charles-Édouard, sous le titre de comte d'Albano, fit une excursion de quelques mois dans les principales villes de la haute Italie. Pendant ce voyage, il visita successivement Parme, Gênes, Milan, Venise, Padoue, Bologne et Florence ; partout il fut accueilli plutôt comme l'héritier d'un souverain régnant que comme le fils d'un prince exilé. À Gênes, l'envoyé d'Espagne et toute la noblesse de la ville vinrent lui présenter leurs hommages. À Milan, le gouverneur de la Lombardie, le vieux général Von Traun, lui fit aussi sa cour, et lui donna le titre de prince

---

[6] *Cette phrase, écrite en anglais, est évidemment une réminiscence des vers du* Cid *de Corneille «...aux âmes bien nées / La valeur n'attend pas le nombre des années».*

de Galles. À Venise, il fut invité à assister aux séances du sénat, et y prit place sur le siège réservé aux voyageurs couronnés. À Bologne, le cardinal légat et quatre sénateurs allèrent au-devant de lui. À Florence, le résident anglais eut assez d'influence pour empêcher le grand-duc de l'admettre publiquement à la cour ; mais il ne put empêcher la ville de lui donner des bals et des fêtes. La maison de Hanovre, jalouse de ces manifestations, témoigna son mécontentement au résident vénitien Businiello, qui eut ordre de quitter Londres sous trois jours[7]. Mais d'une autre part, ces hommages devaient singulièrement flatter le cœur du jeune Charles-Édouard, lorsqu'il voyait la sympathie qu'inspiraient, même aux étrangers, les malheurs de sa famille et la justice de sa cause.

Les cinq ou six années suivantes se passèrent sans aucun incident remarquable. Charles-Édouard ne quitta pas la cour de son père, qui résidait tantôt à Rome, tantôt à Albano. On lira sans doute avec intérêt quelques détails sur cette cour, donnés par le président de Brosses, qui la visita en 1740. Voici ce qu'il écrivait sur ce sujet à MM. de Tournay et de Neuilly.

« J'achèverai avec vous ma tournée de visites importantes par celle du *roi d'Angleterre*. On le traite ici avec toute la considération due à une majesté reconnue pour telle. Il habite place des Saints-Apôtres, dans un vaste logement qui n'a rien de beau. Les troupes du pape y montent la garde comme à Monte-Cavallo, et l'accompagnent lorsqu'il sort, ce qui ne lui arrive pas souvent. Sa maison est assez nombreuse, à cause de quelques seigneurs de sa nation qui lui sont restés attachés, et qui demeurent avec lui. Le plus distingué de ceux-ci est mylord Dumbar, Écossais, homme d'esprit, et fort estimé, auquel il a confié l'éducation de ses enfants. Le prétendant (ce nom était alors donné à Jacques seulement ; on ne le donna à son fils qu'à l'époque de l'expédition de 1745), le prétendant est facile à reconnaître pour un Stuart, il en a toute la figure : il est d'une taille haute et assez mince, fort ressemblant de visage aux portraits que nous avons du roi Jacques II son père, et même au feu maréchal de Berwick, son frère naturel, si ce n'est que le maréchal avait la physionomie triste et sévère, au lieu que le prétendant l'a triste et niaise. Il ne manque pas de dignité dans les manières. Je

---

[7] *Amédée Pichot*, Histoire du prince Charles-Édouard, *2ᵉ édition, t. 1ᵉʳ, p. 269.*

n'ai vu aucun prince tenir un grand cercle avec autant de grâce et de noblesse : il lui arrive quelquefois d'en tenir, malgré la vie retirée qu'il mène. N'étant ni d'âge, ni en état d'avoir le faste extérieur qui entoure habituellement les souverains, cherchant d'ailleurs à se rendre agréable dans une ville à laquelle il a tant d'obligations, il met toute sa dépense d'apparat à faire donner de temps en temps aux darnes, par ses jeunes fils, quelques fêtes publiques, où il vient figurer pendant une heure. Il est dévot à l'excès ; sa matinée se passe en prières aux Saints-Apôtres, près du tombeau de sa femme. Lorsque ce prince vient se mettre à table, ses deux fils, avant que de prendre place, vont se mettre à genoux devant lui et lui demandent sa bénédiction. Il leur parle ordinairement en anglais, et aux autres en italien ou en français. Des deux fils du prétendant, l'aîné est âgé d'environ vingt ans, l'autre de quinze. Je n'ai pas besoin de vous dire qu'ils sont connus ici sous les noms de prince de Galles et de duc d'York. Tous deux ont un air de famille ; mais le cadet a, jusqu'à présent, une fort jolie figure d'enfant. Ils sont aimables, polis, gracieux ; tous deux montrent un esprit médiocre et moins formé que des princes ne doivent l'avoir à leur âge. Le cadet est fort aimé dans la ville, à cause de la beauté de sa figure et de la gentillesse de ses manières. J'entends néanmoins dire à ceux qui les connaissent à fond, que l'aîné vaut beaucoup mieux, et qu'il est beaucoup plus chéri dans son intérieur ; qu'il a de la bonté de cœur et un grand courage ; qu'il sent vivement sa situation, et que, s'il n'en sort pas un jour, ce ne sera pas faute d'intrépidité.

« Les jeunes princes sont tous deux passionnés pour la musique et la savent parfaitement : l'aîné joue très bien du violoncelle ; le second chante les airs italiens avec un jolie petite voix d'enfant du meilleur goût. Ils ont, une fois la semaine un concert exquis : c'est la meilleure musique de Rome. Je n'y manque jamais. Hier j'entrai pendant qu'on exécutait le fameux concerto de Corelli appelé *la Notte di Natale* ; je témoignai le regret de n'être pas arrivé plus tôt pour l'entendre en entier. Lorsqu'il fut fini, et qu'on voulut passer à autre chose, le prince de Galles dit : « Non, attendez ; recommençons ce concerto ; je viens d'ouïr dire à M. de Brosses qu'il serait bien aise de l'entendre tout entier. » Je vous rapporte volontiers ce trait, qui marque beaucoup de politesse et de bonté[8]. »

---

[8] Lettres historiques et critiques du président de Brosses, *publiées en l'an VIII, et réimprimées en 1836, sous le titre de* l'Italie il y a cent ans. *Ces lettres n'étaient point destinées à être livrées au public.*

Le tableau que fait le président de Brosses de la cour de Jacques III n'est pas très bienveillant sans doute, et le portrait qu'il trace du roi et de ses fils est loin d'être flatté. Ce n'est pas, comme on le voit, la plume d'un Jacobite enthousiaste qui a écrit ces lignes ; c'est celle d'un homme indifférent, et un peu superficiel sur certains sujets, malgré ses profondes connaissances dans les langues anciennes et l'archéologie[9], mais que l'esprit philosophique du XVIIIe siècle disposait à faire bon marché de la dévotion d'un prince cherchant dans la religion et les pratiques de piété les seules consolations réservées ici-bas à une si grande infortune. Cependant, à quelques nuances près, le tableau est exact, et l'on conçoit combien cette existence triste et monotone devait peser à un jeune prince qui sentait vivement sa situation, et combien aussi elle devait contribuer à l'empêcher de briller aux yeux des étrangers, qui s'étonnaient, avec cette irréflexion que montre de Brosses, de ne pas trouver en lui l'assurance des princes de son âge élevés, non dans l'exil, mais au milieu de tout l'éclat de la gloire et de la puissance. Le moment approchait où Chartes-Édouard allait sortir de cette position, et se montrer digne du trône auquel sa naissance l'avait destiné.

---

[9] *Le président de Brosses a écrit des ouvrages remarquables par l'étendue des connaissances et l'érudition qu'il y a déployées. Nous citerons entre autres un* Traité de la formation mécanique des langues ; Histoire du VII siècle de la République romaine, *et un grand nombre d'articles, dans le* Dictionnaire encyclopédique, *sur la grammaire générale, l'art étymologique, etc.*

Chapitre II

Tandis que Charles-Édouard voyait avec douleur les belles années de sa jeunesse se consumer dans une triste uniformité, un événement qui allait changer la politique de l'Europe, et entraîner une guerre générale, vint tout à coup donner aux Stuart et à leurs partisans l'espérance du rétablissement du trône légitime d'Angleterre. Cet événement était la mort de l'empereur Charles VI, et, quoiqu'il ne parût pas au premier coup d'œil devoir exercer une influence directe sur les affaires de la Grande-Bretagne, il était facile de prévoir que cette puissance, ou plutôt son gouvernement actuel, se trouverait mêlé à la lutte qui allait s'engager entre les divers prétendants à la succession de l'empereur.

Charles VI, avant sa mort, avait fait tout ce que la prudence humaine pouvait prévoir pour prévenir ce conflit. Il avait réglé sa succession par un testament fameux connu sous le nom de *pragmatique sanction* ; il instituait pour héritière universelle de tous ses États sa fille aînée Marie-Thérèse. Cet acte avait été accepté durant sa vie par tous ses sujets, et ratifié par toutes les puissances de l'Europe ; et cependant à peine eut-il les yeux fermés qu'une foule de princes se hâtèrent de réclamer leur part de ce riche héritage. Le plus puissant de tous, celui dont les prétentions étaient les plus élevées, l'électeur de Bavière, se présentait en outre avec l'appui de la France. Georges II, roi régnant d'Angleterre, ne pouvait, en sa qualité d'électeur de Hanovre, rester indifférent à une querelle qui allait embraser toute l'Allemagne. Il prit parti pour Marie-Thérèse. Mais pour soutenir cette guerre il fallait à Georges II des troupes et des subsides. Le parlement anglais accorda tout ce qui lui fut demandé, malgré les vives réclamations de l'opposition, qui soutenait que les intérêts de l'Angleterre étaient étrangers à cette lutte, et qu'elle n'avait point à prodiguer son sang et son or pour une cause qui ne la regardait pas.

La dynastie de Brunswick n'avait jamais été très populaire en Angleterre depuis son avènement ; elle avait été imposée par le parti dominant au temps de la reine Anne, plutôt en haine de la religion catholique que comme une dynastie nationale. Du reste, on avait donné à entendre qu'elle règnerait, et ne gouvernerait pas, et que l'omnipotence parlementaire serait toujours là pour empêcher les empiétements de la royauté nouvelle. Mais le parlement venait de se laisser entraîner par l'influence royale, et Georges II, encore plus électeur de Hanovre que roi d'Angleterre, ne dissimulait plus ses préférences pour l'Allemagne aux dépens des finances des trois royaumes.

Les plaintes de l'opposition eurent un grand retentissement dans toute la Grande-Bretagne ; elles suggéraient à tous les esprits cette réflexion, qui en était comme le corollaire, un roi issu d'une dynastie nationale ne se serait pas engagé dans une guerre si contraire aux intérêts du pays. Les partisans des Stuart, les jacobites, comme on les appelait, exploitèrent avec succès cette disposition des esprits. Ils trouvèrent dans l'Angleterre proprement dite un nombre considérable d'adhérents à la restauration de la famille déchue. Ce nombre fut encore plus grand proportionnellement en Écosse, où le souvenir de ses anciens rois était plus populaire et plus vivace encore qu'en Angleterre ; puis ce pays espérait, avec le retour de l'ancienne dynastie, recouvrer son existence comme nation, existence qu'il avait perdue par l'acte d'union avec l'Angleterre. Quant à l'Irlande catholique, nous n'avons pas besoin d'insister pour faire comprendre avec quelle joie elle aurait vu sur le trône des princes qui lui eussent rendu le libre exercice de sa religion.

Du désir d'une restauration, on passa promptement aux moyens de la réaliser. Des comités s'organisèrent en Angleterre, et en Écosse pour reconnaître les forces du parti, prendre les mesures nécessaires et préparer le mode d'action le plus propre à assurer le succès. En Irlande, où l'on était assuré d'une adhésion unanime, on ne jugea pas nécessaire de former des comités.

Dans les premiers mois de l'année 1743, Drummond MacGregor de Bohaldie se rendit à Rome, envoyé par le comité d'Écosse, pour porter au roi Jacques VIII[1] une liste nombreuse de ses adhérents, en tête de laquelle figuraient sept des seigneurs les plus influents de l'Écosse, à savoir : Lord Lovat, le duc de Perth, lord Traquair, sir James Campbell d'Aucunbreck, Cameron de Lochiel, John Striart, et lord J. Drummond. Des seigneurs avaient formé entre eux, tant en leur nom qu'en celui de leurs adhérents, une association par laquelle ils s'engageaient à tout hasarder, à sacrifier au besoin leur vie et leurs biens pour le retour des Stuart, pourvu que le roi de France leur prêtât le secours d'un corps de troupes. L'acte contenant cette délibération fut présenté au roi avec la liste dont nous avons parlé.

À peine Bohaldie avait-il fait connaître au prétendant les dispositions de ses fidèles Écossais, que le colonel Brett arriva d'Angleterre, apportant, de la part du comité jacobite de ce royaume, une liste plus considérable encore que celle de MacGregor. Mais, comme les Écossais, les jacobites anglais invitaient instamment le roi Jacques III à solliciter l'assistance de Louis XV. Dans le cas où les secours de la France seraient assurés, le comité écossais garantissait que vingt mille hommes seraient prêts à marcher, et le comité anglais annonçait une levée de boucliers encore plus imposante.

Malgré la répugnance de Jacques à se servir d'armes étrangères pour faire valoir ses droits, et le désir qu'il aurait eu d'être rétabli sur son trône, comme son oncle Charles II, par la seule volonté et les seuls efforts de la nation, il fut forcé de céder aux conditions exigées par les comités. Il accrédita en conséquence Bohaldie comme son représentant auprès du gouvernement français, le chargeant de s'entendre en son nom avec le cardinal de Fleury, premier ministre de Louis XV. Le cardinal parut entrer complètement dans les vues de l'envoyé du prétendant. Il parla même de mettre au service de la cause des Stuart une armée de treize mille hommes, dont trois mille débarqueraient dans le nord de l'Écosse et dix mille le plus près possible de Londres, sous le commandement du maréchal de Saxe. Bohaldie, enchanté de cette promesse, se hâta d'en faire part à son maître à Rome, pendant qu'il en pressait à Paris l'exécution. Mais des retards imprévus, et la perte de la bataille de Dettingen, gagnée par Georges II sur l'armée française,

---

[1] *Nous rappellerons une fois pour toutes qu'en parlant de Jacques comme roi d'Écosse, nous le nommons Jacques VIII, et, comme roi d'Angleterre, Jacques III.*

firent différer de jour en jour cette expédition ; elle était encore à l'état de projet quand le vieux cardinal mourut.

Bohaldie renouvela ses instances auprès du nouveau ministre des affaires étrangères, M. Amelot, qui parut s'intéresser vivement à la cause des Stuart. Il annonça confidentiellement à l'envoyé du prétendant que l'intention de Louis XV était de porter à quinze mille hommes les troupes auxiliaires destinées à cette expédition, mais que des raisons d'État forçaient de la différer. Bohaldie retourna auprès du comité avec ces paroles, et les négociations continuèrent par correspondance.[2]

Vers la fin de décembre 1743, un envoyé du gouvernement français arriva secrètement à Rome, apportant au prétendant la nouvelle que le roi de France était prêt à agir ; qu'il reconnaissait Jacques III pour roi d'Angleterre, et qu'il l'engageait à envoyer son fils aîné le prince de Galles à Paris, pour s'entendre avec ses partisans et les ministres français. Le conseil de la petite cour exilée s'assembla aussitôt ; on y rédigea un manifeste adressé par le roi Jacques VII! à la nation écossaise[3], et une déclaration portant : « Qu'en l'absence du roi, son fils Charles, prince de Galles, était nommé seul régent des royaumes d'Angleterre, d'Écosse et d'Irlande. »

On peindrait difficilement la joie qu'éprouva le jeune, prince en recevant ces nouvelles et l'investiture du pouvoir que lui confiait son père. Sa première pensée fut de remercier Dieu, qui lui accordait enfin la grâce de rentrer dans la patrie de ses ancêtres avec l'espoir de reconquérir l'héritage de ses pères. Ses rêves de gloire allaient enfin se réaliser ! mais le secret était encore commandé à sa bouillante audace, car de ce secret dépendait en grande partie le succès de l'expédition.

Pour s'éloigner de Rome sans éveiller les soupçons des espions

[2] M. Amédée Pichot, Histoire du prince Charles-Édouard, t. I, p. 279.

[3] Ce manifeste était adressé à la nation écossaise parce que c'était en Écosse que devait s'opérer le débarquement du prince Charles-Édouard. Cette pièce, que son étendue ne nous permet pas de donner en entier, commence ainsi : « Jacques VIII, par la grâce de Dieu, roi d'Écosse, d'Angleterre, de France et d'Irlande, défenseur de la foi, etc. Ayant toujours porté la plus constante affection à notre ancien royaume d'Écosse, d'où nous tirons notre royale origine, et où nos ancêtres ont régné avec gloire pendant la plus longue succession dont puisse se vanter aucune monarchie jusqu'à ce jour, nous ne pouvons voir qu'avec le plus profond chagrin

anglais qui surveillaient la cour de son père, il prétexta une partie de chasse au sanglier qu'il faisait tous les hivers au château de la Cisterna. Il sortit de Rome, le 9 janvier, au milieu d'une troupe de jeunes seigneurs qui l'accompagnaient ordinairement dans ces sortes d'excursions ; puis, feignant une entorse qui le forçait de rester en arrière, il prit un déguisement, et courut en poste jusqu'à Gênes, où il s'embarqua sur une felouque espagnole qui l'attendait pour mettre à la voile. Trois jours après il débarquait à Antibes, montait à cheval et courait à franc-étrier jusqu'à Paris, où il arriva le 20 janvier. Il y trouva le maréchal de Saxe et les officiers qui devaient faire partie de l'expédition sous les ordres de ce grand capitaine. Tous furent enchantés des discours du jeune prince et de sa noble ardeur ; le maréchal, peu porté jusqu'alors à se charger du commandement de l'entreprise, fut séduit comme les autres[4]. Si le président de Brosses l'eût vu alors, il est probable qu'il aurait modifié le jugement qu'il en avait porté trois ans auparavant.

Les ministres de Georges II ne tardèrent pas à être instruits de la présence à Paris du fils de Jacques III ; ils dénoncèrent ce fait à la Hollande comme une preuve de l'ambition de la France, et adressèrent de vaines réclamations à Louis XV. Les préparatifs de l'expédition furent poussés avec vigueur. L'armée destinée à y prendre part se réunissait dans les villes voisines de Dunkerque, où devait s'effectuer l'embarquement des troupes, et dont le port et la rade étaient déjà remplis de bâtiments de transport. Une flotte française composée de quinze vaisseaux de ligne et de cinq frégates, destinés à convoyer les transports et à protéger le débarquement, se montra aussi dans la Manche. La principale flotte anglaise était dans la Méditerranée, et il n'y avait à Spithead [5] que six vaisseaux en état de tenir la mer. L'alarme s'était répandue rapidement dans les ports de la Grande-Bretagne et même jusqu'à Londres, quand les vents contraires forcèrent la flotte française à s'éloigner, et donnèrent le temps à l'amiral John Norris de

---

les maux que souffrent nos sujets sous une domination étrangère et usurpée, etc., etc. » Suivent les promesses d'amnistie, de maintien du libre exercice de la religion protestante, mais en réservant aussi le libre exercice de la religion catholique, la convocation d'un parlement national, etc. Cet acte, ainsi que la déclaration qui nomme Charles-Édouard régent, se termine ainsi : Donné en notre cour, à Rome, le 93e jour de décembre 1743, et la 43e année de notre règne. Signé J. R. »
[4] M. Amédée Pichot, Histoire du prince Charles-Édouard, t. I, p. 279.
[5] Dans ce bras de mer, qui sépare Portsmouth de l'île de Wight, venait mouiller la flotte anglaise.

réunir vingt et un vaisseaux de ligne et plusieurs frégates, qui vinrent dans les dunes surveiller le mouvement des transports de Dunkerque. Le 23 février, l'amiral anglais, averti que notre flotte était près de Dungeness[6], appareilla dans cette direction.

On profita avec empressement de l'absence de la flotte anglaise pour achever l'embarquement, auquel présidaient avec une égale ardeur le prince et le maréchal de Saxe. On était sur le point de mettre à la voile, lorsqu'il s'éleva une furieuse tempête qui dispersa les flottes anglaise et française, submergea plusieurs bâtiments de transport et fit périr une partie des soldats déjà embarqués. Ce contre-temps arrêta tous les préparatifs ; l'expédition fut contremandée, le maréchal de Saxe reçut l'ordre d'aller en Flandre, où sa présence était jugée nécessaire[7], et le prince fut invité à s'éloigner de la côte. Malgré cette invitation, Charles-Édouard, accablé de douleur, se retira à Gravelines avec Bohaldie, qui lui servait de secrétaire. Pendant son séjour dans cette ville, il garda l'incognito sous le nom de chevalier de Douglas, et ne cessa de négocier par ses correspondances et l'intermédiaire de ses amis pour obtenir de la cour de France de donner suite à l'entreprise si bien commencée. Il est resté de lui une lettre qu'il adressait à lord Sempill, un de ses agents à Paris ; nous la donnons ici en entier, malgré son étendue, parce qu'elle révèle d'une manière tout à fait remarquable le caractère, les vues et les espérances du jeune prince.

«Gravelines, 15 mars 1744.

«Votre lettre du 10 ne me fait que trop comprendre que les dommages causés par la tempête dans la rade de Dunkerque n'ont pas été diminués dans les relations qu'on en a faites à la cour. Il est vrai que onze ou douze vaisseaux ont été perdus, mais j'apprends qu'il en reste assez pour transporter toutes les troupes qui ont été destinées pour l'Angleterre. Quelques hommes se sont noyés en faisant de trop grands efforts pour se sauver, ce qui m'afflige vivement ; mais je ne saurais m'imaginer que ce qui vient d'arriver puisse détourner le roi très chrétien de l'exécution d'une entreprise si glorieuse, et dont les suites seront si avantageuses à la France ; car il est évident que le débarquement du corps de troupes que nos amis d'Angleterre ont

---

[6] *Dungeness se trouve sur la presqu'île de Romney, dans le Kent.*
[7] *M. Amédée Pichot,* Histoire du prince Charles-Édouard, *t. I, p. 81.*

demandé y renversera le gouvernement présent, malgré tout ce que nos malheurs ont donné le temps à l'électeur de Hanovre de faire pour sa défense; après quoi le roi très chrétien pourra régler la paix d'Europe suivant ses justes désirs, puisqu'il n'est point douteux que le roi mon père, rétabli sur le trône de ses ancêtres, n'agisse en cela, et en toutes choses essentielles, de concert avec un ami si généreux.

« Si quelques-unes des troupes qui ont été embarquées sont hors d'état de servir, et que l'expédition puisse avoir lieu avant qu'elles soient rétablies, il sera facile de les remplacer par celles qui sont dans le voisinage ; mais on m'assure que les bataillons qui ont le plus souffert sont ceux qui témoignent le plus d'ardeur pour le service de leur souverain dans cette entreprise...

« Des rapports bien différents de ceux qui m'ont été faits auront apparemment porté Sa Majesté Très Chrétienne à me rappeler de la côte; mais je me flatte qu'elle ne trouvera pas mauvais que j'y reste jusqu'à ce que vous ayez représenté tout ce que je pense sur la situation présente: je m'y suis déterminé avec d'autant plus de franchise, que je suis ici tout à fait inconnu, et qu'il n'y a pas le moindre soupçon à mon égard.

«Je ne puis envisager l'état actuel de l'Angleterre sans en être vivement touché, et sans avoir un désir ardent de délivrer la nation du joug sous lequel elle gémit. *S'il y avait le moindre lieu de croire que ma présence sans un corps de troupes pourrait avoir cet effet, je m'y rendrais dans un canot, sans balancer un moment*; mais vous savez que rien n'est possible dans ce pays-là sans une force capable de résister aux premiers efforts du gouvernement, et de donner le temps à la noblesse affidée de se rendre sous l'étendard royal; tout autre levée de boucliers ne ferait qu'appesantir le joug sous lequel nos amis gémissent, en augmentant le crédit et la réputation du gouvernement. Cette considération me retient, et m'empêche de suivre les mouvements de mon zèle; mais je ne puis me résoudre à reculer jusqu'à ce que vous ayez de nouveau pesé toutes les circonstances avec M. Amelot et avec le ministre de la marine, et jusqu'à ce que ces Messieurs aient eu la bonté de rapporter toutes vos réflexions, et celles qu'ils auront faites eux-mêmes, au roi leur maître. – *Faites attention que c'est ici la première démarche que je fais dans le monde.* Quoique le public ignore le lieu de mon séjour actuel, on saura que j'ai été près de celui où se faisait l'embarquement. Si je me retire sans rien faire après de si belles espérances toute la terre dira que les malheurs de ma famille restent attachés à toutes les générations et n'auront jamais de fin : ces propos, quoique mal fondés, ne laisseront pas de faire une certaine impression ; nos amis en seront affligés, et ils serviront à relever le courage de nos ennemis, que j'apprends avoir été presque abattus par la nouvelle de l'embarquement.[8]

Dans cette situation, je dois mettre tout en usage pour soutenir les espérances de nos fidèles amis ; et, s'il est absolument impossible, dans les circonstances présentes, de transporter en Angleterre le corps de troupes qui y serait nécessaire, je crois qu'on ne peut mieux faire que de tourner ses pensées du côté de l'Écosse.

«Vous savez que les dispositions des sujets du roi mon père me sont connues depuis quelques années ; et dès qu'on a été en état d'en donner une idée juste et satisfaisante à la cour de France, je n'ai jamais douté que S. M. T.-C.[9] n'eût la générosité de nous mettre en état d'en profiter. Les avances qu'elle a bien voulu faire ont été telles que nous les avions toujours espérées de ses vertus vraiment royales ; ces avances auraient même trop prouvé au public son amitié pour des princes malheureux, si elles n'étaient continuées de façon à produire le grand événement qu'on a tout lieu d'en attendre. Mais votre lettre m'a rassuré là-dessus ; je suis pénétré des bontés de S. M.T.-C., et pleinement convaincu qu'elle ne s'arrêtera pas en si beau chemin. Si vous trouvez donc que l'escadre de Brest soit jugée inférieure à ce nombre de vaisseaux que des contretemps inévitables ont donné le temps au gouvernement anglais de ramasser pour faire parade, et qu'en conséquence le transport des troupes destinées pour l'Angleterre ne puisse point se faire avec la sûreté requise dans la saison fâcheuse où nous sommes ; en ce cas, je vous charge de vous appliquer avec toute l'attention possible à faire connaître les avantages qui doivent résulter d'une expédition en Écosse. Il y a à Dunkerque bien plus de vaisseaux de toute espèce qu'il n'en faut pour transporter le petit nombre qui sera requis pour ce royaume, et il est essentiel, tant pour mon honneur que pour donner de la confiance à nos amis, que je sois à

---

[8] *Charles-Édouard avait été bien informé : la terreur que l'expédition de Dunkerque avait occasionnée au gouvernement de Georges II avait été telle que l'acte d'habeas corpus fut suspendu ; un grand nombre de personnes suspectes furent arrêtées ; à la loi sur les crimes de haute trahison, on ajouta une clause qui étendait la pénalité sur la postérité des coupables ; enfin on réclama des États de Hollande un corps de six mille auxiliaires, qu'ils s'étaient engagés à fournir en cas d'invasion.*
[9] *Sa Majesté Très Chrétienne, c'est-à-dire le roi de France.*

la tête des premières qui seront employées au service du roi mon père partout où ce puisse être, et surtout en Écosse, d'où nous tirons notre origine, et où le gros de la nation nous a toujours été inviolablement attaché. Je sais que les régiments irlandais (*au service de France*[10]) m'y m'accompagneront avec joie; et si S. M. T.-C. veut bien y ajouter deux bataillons français et un régiment de dragons démontés, je me rendrai, avec la bénédiction du Ciel, bientôt maître de cet ancien royaume où je serai en état de former une armée qui occupera toute l'attention et toutes les forces du gouvernement d'Angleterre pour pouvoir me résister. Les dix mille armes et les munitions qui ont été destinées pour l'Angleterre, pourvu que l'on me donne quelques milliers de sabres pour mes montagnards, me suffiront en Écosse, jusqu'à ce que S. M. T.-C. puisse commodément m'en envoyer davantage. La somme d'environ quatre cent mille livres argent de France, qu'on demande pour mettre nos gentilshommes montagnards en état d'entrer en campagne avec leurs vassaux, les quatre sous par jour pour la paie des soldats de l'armée d'Écosse, qu'on supplie S. M. T.-C. de vouloir bien avancer pendant les premiers trois mois, et les petits armements dont le mylord Maréchal a fait mention, tous ces articles ensemble ne monteront pas à la dépense qu'il faudra faire pour la prise ou la défense d'une seule bonne forteresse en Flandre; au lieu que l'entreprise en Écosse, quelles qu'en puissent être les suites pour les intérêts du roi mon père, rendra du moins les efforts du gouvernement d'Angleterre bien peu considérables sur le continent pendant la campagne prochaine, j'ose même dire pendant que Dieu me laissera la vie.

«D'ailleurs, il est visible que ma descente en Écosse fera croire ou qu'on n'a jamais eu dessein de débarquer en Angleterre, ou que, n'y ayant point de concert et d'intelligence, on a été obligé de se rabattre sur un pays plus affectionné à la France et plus attaché à son souverain nature: cette idée fera tourner tout le poids du gouvernement contre l'Écosse, et facilitera le transport d'un corps de troupes avec le duc d'Ormond pour achever la ruine de l'usurpation présente dans toute la Grande-Bretagne.

« En d'autres circonstances, je serais charmé de faire la campagne dans une grande armée commandée par des généraux de réputation[11],

---

[10] *Voir les annexes, à la fin de ce volume.*
[11] *On voit par ce passage qu'on lui avait offert de prendre du service dans l'armée française pour la campagne qui allait s'ouvrir.*

et surtout dans quelqu'une des armées françaises, où les rois mon père, mon grand-père, et plusieurs princes de notre maison, ont autrefois acquis de la gloire ; mais l'état actuel de la Grande-Bretagne, et l'attente des peuples auxquels je me dois, m'obligent de tourner toutes mes pensées de ce côté-là. Je le fais avec un zèle qui me porterait à entreprendre le rétablissement du roi mon père et la délivrance de ses sujets opprimés, avec le petit nombre de fidèles Écossais qui ont pu conserver leurs armes[12]. *Je sais que la plupart de nos montagnards se joindraient à moi, quand même ils me verraient arriver chez eux tout seul et sans appui.* Ne me convient-il pas mieux d'aller périr, s'il le fallait, à la tête de ces braves gens, que de traîner une vie languissante et dans la dépendance ?

« La longueur de cette lettre vous fera sentir combien je suis touché des accidents qui font suspendre l'exécution de notre entreprise. Mais, quoique je voie tous les inconvénients de ce retardement, et par rapport aux intérêts de S. M. T.-C. et aux nôtres, je n'en suis point abattu, et ne le serai jamais tant que Dieu me fera entrevoir des moyens possibles pour parvenir aux justes fins que nous nous proposons ...
Signé, CHARLES, P. »

Cette lettre nous fait connaître avec quelle justesse d'appréciation Charles-Édouard envisageait sa position. Il ne se laisse point aller à des espérances chimériques, ni abattre par le désespoir. On voit, par plusieurs passages que nous avons soulignés, que déjà sa résolution était formée d'entreprendre seul de reconquérir le royaume de ses pères, s'il ne pouvait obtenir de la France les secours qu'on lui avait promis.

Lord Sempill, agent fidèle et intelligent, à qui cette lettre était adressée, ne manqua pas de faire valoir auprès des ministres et de développer les raisons présentées par Charles-Édouard pour décider le gouvernement français à reprendre le projet d'invasion. Malheureusement, à cette époque la cour de France était livrée aux intrigues d'un favoritisme scandaleux ; ce n'était pas parce que tel ou tel projet était utile aux intérêts ou à la gloire du roi qu'il était adopté, mais parce qu'il plaisait à telle ou telle personne actuellement en faveur. Lord Sempill passa tout le reste de l'année en vaines sollicitations auprès des ministres. Le jeune prince, se persuadant que sa présence à

---

[12] *Un désarmement général avait eu lieu en Écosse à la suite de l'insurrection.*

Paris produirait plus d'effet que les démarches de son agent, se décida à venir solliciter en personne, quoi qu'il en coûtât à sa fierté. Mais il ne réussit pas mieux que son correspondant ; il ne reçut que des réponses évasives et des promesses dont on éludait toujours l'exécution. Enfin, apprenant que le roi Georges, pleinement rassuré sur l'invasion dont il était menacé, était parti pour le Hanovre, emmenant avec lui ses meilleures troupes, il écrivit à Louis XV la lettre suivante, datée de Paris le 24 juillet 1744 :

«Monsieur mon oncle,

«Les sages précautions que Votre Majesté a prises en me tenant caché depuis que je suis dans son royaume,[13] et surtout depuis l'ouverture de la campagne, ont entièrement aveuglé le gouvernement présent de la Grande-Bretagne. On a non seulement renvoyé les six mille Hollandais ; mais on a même transporté en Flandre plus d'un tiers des troupes réglées qu'on avait auparavant jugées nécessaires pour contenir les peuples dans la sujétion de l'usurpateur. D'ailleurs, ceux d'entre les bons sujets du roi mon père qui donnent le mouvement aux autres, et avec lesquels on avait concerté l'embarquement des troupes françaises, ces sujets fidèles, tant Anglais qu'Écossais, se sont comportés à cette occasion avec tant de prudence et de fermeté, qu'ils paraissent plus dignes que jamais de la confiance dont Votre Majesté les avait honorés. Ils m'ont renouvelé les assurances du zèle avec lequel ils étaient prêts à remplir les engagements qu'ils avaient pris, en cas que les troupes de Votre Majesté eussent débarqué nonobstant l'arrivée des Hollandais et les autres préparatifs du gouvernement pour pouvoir se maintenir ; mais aussitôt qu'il fut décidé dans le conseil de l'électeur de Hanovre[14] de ne laisser en Angleterre qu'un nombre peu considérable de troupes, ils m'en ont donné avis avec une joie extrême ; et comme ils pensent qu'on peut, malgré la supériorité de la flotte, du gouvernement (anglais), transporter un corps de troupes tel que celui que Votre Majesté faisait embarquer à Dunkerque, ils tiennent pour certain qu'avec ce secours j'aurais l'honneur de rétablir le roi mon père sans exposer la nation aux malheurs d'une guerre civile. Ils disent qu'ils

---

[13] *On avait exigé que le prince gardât toujours le plus strict incognito.*
[14] *On a dû remarquer que Charles-Édouard désigne ordinairement ainsi le roi d'Angleterre George II.*

seraient en état de renverser le gouvernement s'ils n'appréhendaient celles que l'usurpateur pourrait faire descendre en Angleterre avant que je pusse former une armée capable de s'y opposer ; et ils déclarent que ce n'est que cette appréhension qui les empêche de me recevoir sans autre appui que celui de la justice de ma cause. Tel est le résultat des dernières conférences des principaux royalistes anglais, que mylord Barrymore m'a fait savoir par, un exprès.

« Les Écossais, plus ardents et entreprenants, ne s'effraient point des idées d'une guerre civile ; ils viennent de m'envoyer un homme de condition, parent de MacGregor, pour m'assurer que le concert qui y a été formé en 1739 subsiste toujours dans toute sa force ; que la disposition générale du pays est si favorable qu'il ne leur reste plus rien à faire qu'à gagner les troupes que le gouvernement entretient parmi eux, et qu'ils s'y appliquent avec quelque espérance de réussir ; mais ils me supplient de ne point attendre des dispositions ultérieures, de saisir l'occasion que l'éloignement des troupes du gouvernement me présente actuellement, et de faire auprès de Votre Majesté les plus fortes instances pour leur procurer des armes, et le peu de secours dont les Écossais ont besoin pour se mettre en campagne ; ils promettent de s'en servir d'une manière qui prouvera à Votre Majesté que l'ancienne vigueur de la nation écossaise n'est point éteinte.

« Ils ajoutent qu'ils renvoient le comte Traquair en Angleterre, pour entretenir et affermir la confiance entre les fidèles sujets des deux grands royaumes. Ces dispositions tant de l'Angleterre que de l'Écosse sont si heureuses, que j'ai cru en devoir donner moi-même quelque idée à Votre Majesté, et envoyer mylord Sempill pour informer plus particulièrement les ministres qui sont auprès d'elle. Si Votre Majesté veut bien permettre que ce mylord leur en fasse un rapport, j'ose me flatter que celui qu'ils feront à Votre Majesté la déterminera à m'accorder le corps de troupes que les fidèles sujets de la Grande-Bretagne demandent avec tant d'empressement, ce qui me mettra en état de lui donner dans peu des preuves réelles de la vive reconnaissance dont je suis pénétré, et du respect avec lequel je serai toute ma vie, Monsieur mon oncle, de Votre Majesté le très affectionné neveu,

CHARLES, P. »

Il est certain que si la politique de Louis XV, ou plutôt de son entourage, n'avait pas changé depuis l'époque où l'on était disposé à mettre à la disposition de l'héritier légitime du trône d'Angleterre une armée commandée par un maréchal de France, jamais occasion plus favorable ne s'était présentée que celle indiquée dans la lettre de Charles. Le succès momentané de son expédition de l'année suivante prouve qu'il ne s'était pas laissé aveugler par des apparences trompeuses, et qu'il n'eût fallu, pour rendre ce succès complet et durable, que le faible secours qu'il demandait à Louis XV. Mais sa lettre ne changea rien à la politique suivie en ce moment par la cour de France ; en vain essaya-t-il de parler directement au roi, il ne put jamais obtenir d'être admis en sa présence. Tant de déceptions mirent sa patience à de rudes épreuves ; aussi écrivait-il à son père, le 16 janvier 1745 : «J'avoue qu'il faut avoir une forte dose de patience pour supporter le traitement que je subis à la cour de France, et les tracasseries de nos propres adhérents ; mais la patience ne me manquera dans aucun cas ; je n'ai pas d'autre parti à prendre.» Il donnait encore à ce sujet la mesure de sa persévérance, ou de son obstination, si l'on veut, dans cette autre lettre où il dit : «Quoi que je puisse souffrir, je n'aurai aucun regret tant que je croirai cette souffrance utile à notre grand objet. Je me mettrais comme Diogène dans un tonneau s'il le fallait.»

Enfin, las d'être en butte aux tracasseries dont il se plaint, convaincu du reste qu'il n'avait rien à espérer de la cour de France, Charles-Édouard forma la résolution de ne plus compter que sur lui-même, et de travailler à la restauration du trône de ses pères sans le secours des étrangers.

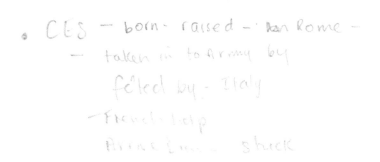

Chapitre III

On a écrit que l'idée de se rendre seul en Écosse avait été suggérée à Charles-Édouard par le cardinal de Tencin, qui s'était toujours montré favorable à la cause des Stuart : «Allez, lui aurait-il dit ; votre seule présence pourra ranimer votre parti et vous créer une armée. Il faudra bien alors que la France vous soutienne.» Le cardinal de Tencin ne donna point à Charles l'idée de son entreprise audacieuse ; il apprit cette résolution de la bouche même du prince ; seulement, loin de la désapprouver, comme le faisaient un grand nombre de ses partisans, il encouragea Charles à l'exécuter, lui donnant effectivement l'espoir qu'alors la France le soutiendrait. Mais depuis longtemps Charles nourrissait cette pensée ; et il l'avait manifestée à l'un des plus nobles soutiens de sa cause, Georges Keit, plus connu sous le nom de lord Maréchal, à qui il avait proposé, pendant son séjour à Gravelines, de s'embarquer seul avec lui pour l'Écosse. Lord Maréchal avait traité cette proposition de folie, et s'était séparé du prince un peu froidement. En maintes autres circonstances, ainsi que nous l'avons déjà fait remarquer, il avait exprimé cette pensée, et notamment dans les instructions qu'il adressa à Alexandre Macleod, au temps même où il sollicitait avec instance les secours de Louis XV ; il y déclare formellement qu'il avait toujours eu à cœur de rétablir le roi son père par le secours exclusif de ses sujets. Ajoutons qu'au nombre des tracasseries de la part de ses adhérents, dont il se plaint à son père dans une lettre que nous avons citée, il comptait la persistance que la plupart d'entre eux mettaient à exiger un secours étranger.

Quoi qu'il en soit, dès que Charles-Édouard eut arrêté d'une manière irrévocable sa résolution, il ne songea plus qu'à l'exécuter le plus tôt et le plus secrètement possible, afin de surprendre à la fois amis et ennemis. Il commença par se procurer de l'argent en empruntant à ses adhérents ; puis il en demanda à son père, qui mettait beaucoup d'ordre dans ses finances, et avait en réserve une somme assez considérable. Il fit part de son projet à un petit nombre de ses amis sur le dévouement et la discrétion desquels il pouvait compter, pour l'aider dans les préparatifs de son expédition. L'un d'eux, lord Clare, lieutenant général au service de France, le mit en rapport avec M. Walsh, armateur à Nantes, pour lui procurer les moyens nécessaires de transport ; il lui fit faire en même temps la connaissance de M. Rutledge, banquier, son compatriote, qui devait fournir une partie des fonds nécessaires à l'armement des navires.

Il était difficile de rencontrer un homme plus convenable que M. Walsh pour la mission délicate qui lui était confiée. Sa famille, originaire d'Irlande, avait tout sacrifié, patrie, gloire, fortune, pour la défense du trône légitime. Sous la république, les Walsh avaient partagé la fortune errante de Charles II. À la restauration, rentrés avec ce prince, ils trouvèrent la plus grande partie de leurs biens confisqués, ce qui ne les empêcha pas d'abandonner le reste pour suivre Jacques II dans l'exil. Un lord Walsh commandait le navire sur lequel ce monarque vint en France. Ses deux fils se fixèrent l'un à Saint-Malo, l'autre à Nantes, et furent admis dans la noblesse de Bretagne. M. Antoine Walsh, de Nantes, imitant les nobles de cette province, qui pouvaient, quand la guerre ou le malheur des temps les avait ruinés, déposer leur épée au parlement, et exercer, sans déroger, le commerce ou toute autre profession, s'était fait armateur, et se trouvait, en 1745, à la tête d'une fortune assez considérable. Fidèle aux traditions du dévouement héréditaire de sa famille, il n'hésita pas à consacrer tout ce qu'il possédait à l'armement d'une petite frégate de vingt canons, *la Doutelle*[1], destinée à transporter le prince[2]. Il s'entendit avec un armateur de Dunkerque qui avait en même temps frété pour son

---

[1] *Les deux navires qui amènent Charles-Édouard Stuart en Écosse au printemps 1745 s'appellent* L'Élisabeth *et le* Du Teilley. *Les historiens de langue anglaise appellent couramment ce dernier la* Doutelle, *et c'est cette dénomination que reprend l'auteur.*

[2] *M. Amédée Pichot*, Hist. de Charles-Édouard, *t. I, p. p288. Les descendants de la famille Walsh n'ont pas dégénéré de leurs ancêtres ; ils ont montré aux Bourbons malheureux la même fidélité que leurs aïeux avaient eue pour les Stuart.*

compte et armé en course un navire de l'État nommé *l'Élisabeth*, portant soixante-quatre canons. Ce vaisseau devait servir d'escorte à *la Doutelle*.

«C'était alors l'usage, dit Voltaire, que le ministère de la marine prêtât des vaisseaux de guerre aux armateurs et aux négociants, qui payaient une somme au roi, et qui entretenaient l'équipage à leurs dépens pendant le temps de la course. Le ministre de la marine et le roi de France ignoraient à quoi ces vaisseaux devaient servir.»[3]

Pendant ces préparatifs, le prince Charles-Édouard s'était retiré au château de Navarre près d'Évreux, chez son parent le jeune duc de Bouillon, qui lui portait une tendre affection. De cette retraite, où il semblait ne s'occuper que de chasse et de parties de plaisir, il surveillait activement, par l'entremise d'agents secrets et dévoués, tous les apprêts de son expédition. C'est là qu'il apprit la nouvelle de la bataille de Fontenoy gagnée par l'armée française sur l'armée anglaise commandée par le duc de Cumberland, l'un des fils du roi Georges II. Cet événement lui donna l'espoir que Louis XV se déciderait enfin à le secourir efficacement. Cependant il ne voulut rien changer à ses projets; les choses d'ailleurs étaient trop avancées pour qu'il allât s'exposer encore aux tergiversations et aux lenteurs de négociations nouvelles. Il était donc plus que jamais résolu à agir seul; et si le roi de France se décidait à lui venir en aide, il le ferait sans doute plus facilement quand l'entreprise serait engagée, ainsi que le lui avait fait espérer le cardinal de Tencin. C'est sous l'empire de ces réflexions qu'il adressa au roi la lettre suivante, qui ne devait lui être remise que lorsqu'il serait en pleine mer:

«Monsieur mon oncle,

«Après avoir tenté inutilement toutes les voies de parvenir jusqu'à Votre Majesté, dans l'espérance d'obtenir de votre générosité les secours nécessaires pour me faire jouer un rôle digne de ma naissance, j'ai résolu de me faire connaître par mes actions, et d'entreprendre seul un dessein qu'un secours médiocre rendrait infaillible. J'ose me flatter que Votre Majesté ne me le refusera pas. Je ne serais point venu en France si l'expédition projetée il y a plus d'un an ne m'eût

---

[3] *Voltaire*, Le Siècle de Louis XV.

fait connaître les bonnes intentions de Votre Majesté à mon égard, et j'espère que les accidents imprévus qui rendirent pour lors cette expédition impraticable, n'y auront rien changé. Ne puis-je pas me flatter en même temps que la victoire signalée que Votre Majesté vient de remporter sur ses ennemis et les miens (car ne sont-ils pas les mêmes?) aura apporté quelque changement aux affaires, et que je pourrai tirer quelque avantage de ce nouvel état de gloire qui vous environne? Je prie Votre Majesté de considérer qu'en soutenant la justice de mes droits, elle se mettra elle-même en état de parvenir à une paix solide et durable, unique but de la guerre dans laquelle elle se trouve présentement engagée. Enfin, je veux tenter ma destinée, qui, après les mains de Dieu, est entre celles de Votre Majesté. Si elle me fait réussir, elle trouvera un allié fidèle dans un parent qui a déjà l'honneur d'être, avec l'attachement le plus respectueux, Monsieur mon oncle, de Votre Majesté le très affectionné neveu,

CHARLES, P.»
Navarre, le 12 juin 1745.

Il écrivit à la même date, et toujours pour n'être envoyées qu'après son départ, plusieurs autres lettres, parmi lesquelles nous citerons celle adressée à M. O'Brien, qu'il n'avait pas voulu informer de son projet. Dans cette lettre, toute confidentielle, on peut dire qu'il met son âme à nu ; il ne dissimule pas la témérité de son entreprise, mais il la montre comme une nécessité de sa position, *où les résolutions les plus hardies sont les plus sages.* Voici cette lettre :

« Si vous êtes aujourd'hui étonné du parti que je prends, du moins vous ne le devez pas être de ce que je ne vous en ai pas plus tôt fait part ; je sais les raisons que vous auriez eues de vous y opposer : mais comme j'étais bien résolu de passer outre, sans avoir égard à ces raisons, j'ai voulu vous épargner la peine de m'en dissuader inutilement. En toute autre occasion, j'aurais été bien aise de profiter de vos conseils aussi bien que de vos services dans l'exécution de ce que j'avais déterminé de faire.

« À présent, je compte beaucoup sur votre zèle et vos lumières pour me procurer le secours dont j'ai besoin ; vous savez ce qu'il me faut, et les avantages qui en reviendront à la France de me l'avoir accordé.

« Si l'on ne veut pas me secourir *en gros*, qu'on le fasse du moins *en détail*. Faites, je vous prie, les plus vives instances là-dessus, et quelque chose que vous pensiez de mon entreprise, n'oubliez rien pour la faire valoir. Je sais qu'il n'y a que le succès qui la puisse justifier aux yeux du public ; mais j'espère que mes amis en jugeront autrement, et qu'ils ne me traiteront pas de *téméraire* pour avoir tout risqué plutôt que de traîner une vie indigne de moi-même.

«Dans l'état où je me trouve, les partis les plus hardis sont les plus sages. Adieu ; j'espère vous donner bientôt de mes nouvelles des montagnes d'Écosse.

«Votre bon ami,
CHARLES, P.»

Le prince écrivait aussi et plus longuement à son père, en s'excusant d'aller tenter de lui *rendre sa couronne* et *à ses sujets leurs libertés* ; il était forcé de tout risquer, ajoutait-il, pour *son honneur et sa réputation* ; il lui rappelait qu'il ne faisait d'ailleurs que ce qu'il avait fait lui-même en 1715. Il espérait que, s'il lui arrivait quelque malheur, ce serait du moins pour la cour de France un motif de plus de l'intéresser à la cause de son père : le danger et la mort lui plairaient à ce prix. Il terminait en priant son père de payer une somme de cent quatre-vingt mille livres qu'il avait empruntée aux sirs Waters père et fils pour acheter des fusils, des sabres et vingt petites pièces de canon. Outre ces armes et ces munitions, il disait emporter avec lui quatre mille louis en or dans sa cassette[4].

Quand il eut terminé ces correspondances, le prince quitta secrètement le château de Navarre, et se rendit à Nantes, où M. Walsh l'attendait avec sept gentilshommes qui étaient dans la confidence et qui avait sollicité l'honneur de partager les périls de l'entreprise. C'étaient le marquis de Tullibardine, duc d'Athole, qui depuis 1715 était privé de son titre ; sir Thomas Sheridan, gentilhomme irlandais, qui avait été un des gouverneurs du prince ; sir John Macdonald, officier au service d'Espagne ; Énéas Macdonald, banquier de la même famille que sir John, et fixé à Paris ; Francis Strickland, Anglais ; Kelly, ecclésiastique irlandais, et O'Sullivan, Irlandais. À cette liste il faut ajouter le messager Buchanan, qui avait été chargé d'aller chercher Charles-Édouard à Rome en 1743.

Enfin, le 2 juillet 1745, après quelques retards occasionnés par les vents contraires, cette petite troupe s'embarqua à Saint-Nazaire,

---

[4] *M. Amédée Pichot*, Histoire de Charles-Édouard, *t. 1, p. 288.*

à l'embouchure de la Loire, sur un bateau pêcheur qui la transporta à Belle-Ile, où l'attendait *la Doutelle*. L'équipage de ce bâtiment ignorait la qualité des passagers qu'il recevait à son bord. Le prince avait pris un costume ecclésiastique, et passait aux yeux des matelots pour un jeune séminariste récemment sorti du collège des Écossais de Paris, et se rendant auprès de sa famille. Il fallut rester dix jours en rade de Belle-Île pour attendre l'arrivée de *l'Élisabeth*. Enfin, le 12 juillet, ce bâtiment parut, et l'on mit à la voile. Le marquis d'O avait le commandement de *l'Élisabeth*, et M. Walsh celui de *la Doutelle*.

Pendant plusieurs jours, les navires firent bonne route, sans qu'il survînt aucun incident remarquable ; mais le 20 juillet ils rencontrèrent trois vaisseaux de guerre anglais qui escortaient une flotte marchande. Le plus fort de ces vaisseaux, *le Lion*, de soixante-dix canons, se sépara du convoi pour aller attaquer *l'Élisabeth*. Le marquis d'O engagea le combat le premier. Les deux vaisseaux se canonnèrent pendant cinq heures avec acharnement. Le marquis d'O, atteint par un boulet, remit le commandement à son lieutenant M. Bart. Le capitaine anglais fut blessé et ses lieutenants furent tués. Le combat ne cessa qu'à la nuit, et les deux vaisseaux, également maltraités, furent obligés de gagner les ports les plus voisins pour réparer leurs avaries.

Au premier coup de canon, Charles-Édouard était accouru sur le pont de *la Doutelle*, et, oubliant son déguisement, avait demandé à prendre part au combat. M. Walsh, usant de son autorité de capitaine et d'armateur du navire, prit le prince par le bras, en lui disant : «Monsieur l'abbé, votre place n'est pas ici, descendez à la chambre des passagers. »

L'Élisabeth, incapable de tenir la mer, ne put rejoindre *la Doutelle*, ce qui était d'autant plus fâcheux, que le premier de ces bâtiments portait une partie des armes et des munitions.

Le reste du voyage se fit heureusement, et le 24 juillet on jeta l'ancre près de l'île d'Ériska[5], une des plus petites et des plus désertes du groupe des Hébrides[6]. Impatient de fouler une terre écossaise, le prince descendit dans l'île et passa la nuit dans la maison du tacksman, ou principal fermier. Ses sept compagnons l'y suivirent ; et comme le

---

[5] *Eriskay.*
[6] *Des Hébrides extérieures.*

district où ils prirent terre s'appelle Moidart, on les nomma dans la suite les sept braves de Moidart.[7]

L'île dans laquelle Charles-Édouard venait de débarquer fait partie du comté d'Argyle, habité par les clans, ou tribus de montagnards[8] écossais[9], dont la fidélité et la coopération enthousiaste lui étaient assurées. Là il savait que ses partisans n'étaient pas aussi circonspects qu'en Angleterre ou dans les basses terres de l'Écosse, où le plus grand nombre n'agirait qu'avec prudence et attendrait pour se déclarer une occasion propice, et la garantie du succès ; tandis que les montagnards, dévoués de cœur à sa cause, seraient prêts à le suivre et à s'exposer à tous les dangers, sans calculer d'avance si les chances de la lutte étaient ou non favorables.

Cependant il éprouva au début un mécompte qui faillit détruire toutes ses illusions. Assuré, comme il croyait l'être, des bonnes dispositions des montagnards, quelque temps avant de partir pour l'Écosse, Charles-Édouard avait prévenu les principaux chefs des clans de son arrivée prochaine. Ceux-ci s'étaient réunis secrètement aux membres du comité d'Édimbourg, et après une longue conférence il avait été décidé qu'on ne prendrait pas les armes si le prince arrivait seul, comme il semblait l'annoncer. Murray de Broughton, secrétaire du comité, fut chargé d'aller au-devant du prince pour lui réitérer leurs représentations, et le supplier de se rembarquer. Murray l'avait attendu pendant tout le mois de juin ; mais, ne le voyant pas arriver, il s'imagina que le prince avait renoncé à son entreprise, et il retourna chez lui.

Charles-Édouard, qui ignorait cette résolution du comité écossais, envoya prévenir de son arrivée le chef de Clanranald, qui se trouvait dans l'île de Wist[10], contiguë à celle d'Eriska. En l'absence de ce chef, son oncle, nommé Boisdale, se rendit auprès du prince, qui le reçut à bord de *la Doutelle*, où il était remonté après avoir passé la nuit à terre. Boisdale se présenta respectueusement devant le prince ; mais une sorte de contrainte et de froideur, qui n'échappa point à Charles, se faisait

---

[7] *Il semble que l'auteur confonde ce premier débarquement à Eriskay et celui qui a lieu quelques jours plus tard sur la côte Ouest de l'Écosse, dans la région de Moydart.*

[8] *L'auteur emploie, comme le faisait Charles Édouard Stuart, le terme de « montagnard » là où nous disons aujourd'hui « highlander ».*

[9] *Sic !*

[10] *Uist.*

remarquer dans son attitude et dans ses paroles. Cependant, feignant de ne pas s'en apercevoir, le prince le pria d'aller de sa part prévenir son neveu que le jour était venu de se déclarer. Boisdale lui avoua alors qu'il trouvait son entreprise si hasardeuse qu'il croyait plutôt de son devoir de détourner son neveu d'y prendre part. Charles-Édouard, qui ignorait la délibération du comité d'Édimbourg, lui cita deux chefs de l'île de Skye, Macdonald de Sleat et le laird de Macleod, qu'un simple avis devait faire accourir sous sa bannière avec douze cents de leurs vassaux. «Je suis forcé à regret, reprit Boisdale, de désabuser Votre Altesse Royale. Ces deux chefs, comme tous les autres, sont convenus de ne pas armer un seul homme si Votre Altesse Royale n'a pas des forces régulières suffisantes pour la soutenir.»

Charles-Édouard n'insista pas, et Boisdale s'éloigna. Le prince tint conseil avec ses compagnons sur ce qu'il y avait à faire après ce qu'ils venaient d'entendre. Tous, à l'exception de Sheridan, étaient d'avis de retourner en France ; mais le prince leur fit observer qu'il ne fallait pas juger de tous les chefs par l'opinion de quelques-uns ; que si plusieurs s'étaient laissé gagner par les calculs d'une prudence timide, le plus grand nombre seraient bientôt entraînés dès qu'il pourrait lui-même s'aboucher avec eux ; qu'au reste, il voulait encore faire cette épreuve avant de songer à abandonner la partie.

En conséquence, Charles donna l'ordre de lever l'ancre, et il se dirigea vers le Loch Nanuagh[11], bras de mer ou lac d'eau salée qui divise Moidart et Arisaig. De là, il fit prévenir directement Clanranald le jeune et quelques autres chefs, qui vinrent dès le lendemain à bord de *la Doutelle*. Mais leur langage fut le même que celui de Boisdale. En vain le prince les conjurait de ne pas abandonner le fils de leur roi, leur compatriote et leur ami ; ils restaient inflexibles, en répondant que leur dévouement ne pouvait aller jusqu'à exposer leur clan et le prince lui-même à une ruine certaine. Tandis qu'il faisait de vains efforts pour émouvoir les chefs, il remarqua un simple montagnard de leur suite, seul témoin de cet entretien, qui écoutait en pâlissant et en rougissant tour à tour les paroles du prince ; il vit ses yeux étinceler tout à coup, et sa main se porter instinctivement sur la garde de sa claymore[12]. Charles-Édouard, comprenant l'émotion généreuse de cet homme,

---

[11] *Loch Nam Uagh.*
[12] *La claymore (grande épée), est l'arme traditionnelle des Highlanders. Plus vraisemblablement, l'homme devait porter une broadsword.*

fixe sur lui ses regards en lui disant : «Et vous, refuserez-vous aussi de combattre pour moi ? — Non, non, mon prince, s'écrie le montagnard ; dussé-je être le seul en Écosse à tirer l'épée, je suis prêt à mourir pour vous. – Enfin, dit Charles, en versant des larmes d'attendrissement, je trouve un défenseur et un véritable Écossais ! Je n'en demande que quelques-uns comme celui-là pour conquérir avec eux le trône de mes pères !»

À ces mots, la glace fut rompue ; les chefs ne purent résister à cette scène touchante ; ils se précipitèrent aux genoux de Charles, en jurant de défendre sa cause jusqu'à la mort. Le prince les releva en les embrassant, et quand l'émotion fut un peu calmée de part et d'autre, on ne s'occupa plus que des moyens de réunir les clans fidèles.

Se croyant désormais sûr de réussir, il renvoya en France *la Doutelle*[13], après s'être fait débarquer définitivement sur la terre d'Écosse, à Borodale, ferme qui appartenait à Clanranald, sur le bord du lac Nanuagh.

---

[13] *Avant de prendre congé de M. Walsh, le prince lui remit pour son père une lettre par laquelle il le priait de le créer comte d'Irlande. Il lui fit en même temps cadeau d'une épée, qu'il avait achetée à Dunkerque, et qui coûtait quatre-vingts louis ; sur la lame étaient gravés ces mots : Gratitudo fidelitati. La famille Walsh conserve avec soin ce précieux souvenir.*

Chapitre IV

Avant de continuer notre récit, il est nécessaire pour l'intelligence d'une partie de ce qui va suivre de donner quelques détails sur les mœurs et les usages des montagnards écossais, qui vont jouer un rôle important dans cette histoire.

L'Écosse se divise naturellement en deux régions bien distinctes, les montagnes appelées en anglais *Highlands* ou hautes terres, et les basses terres, nommées *Lowlands*. Quand les Saxons envahirent la Grande-Bretagne, ils s'emparèrent aussi des basses terres de l'Écosse ; mais la race primitive trouva un refuge inexpugnable dans ses montagnes et dans les îles nombreuses dont est parsemée la côte nord-ouest de l'Écosse[1]. Cette race, d'origine gaélique ou celtique, a conservé presque intacts à travers les siècles, sa langue, ses mœurs, son costume et son organisation sociale ; seulement celle-ci, depuis un siècle, c'est-à-dire depuis l'expédition du prince Charles-Édouard, a subi de notables modifications.

Toute la population des Highlanders, comme les appellent les Anglais, est divisée en tribus nommées *clans*, et obéissant chacune à un chef. Cette organisation n'avait aucun rapport avec la féodalité qui s'établit en Angleterre et dans les basses terres de l'Écosse à la suite de la conquête des Normands, et qui a régné dans toute l'Europe pendant le moyen âge. Les seigneurs féodaux se regardaient comme les maîtres absolus de leurs serfs ; c'étaient à leurs yeux des esclaves que la force avait soumis, et

[1] *Les basses terres abritaient déjà dans l'Antiquité une population différente de celle des Highlands : de la Clyde à la Forth, les tribus parlaient une langue britonnique et non gaélique comme dans les Hautes Terres. Tout comme le faisaient les tribus Pictes au Nord et à l'est des Highlands.*

que la force seule maintenait dans l'obéissance. L'autorité des chefs de clans était bien différente; elle était toute patriarcale, et reposait sur le premier principe de tout gouvernement légitime, la famille. Le chef était aux yeux du clan le représentant d'un ancêtre dont la tribu descendait comme lui et portait le même nom. Tel est le secret de tant d'obéissance d'une part, et d'une affection toute paternelle de l'autre. Le membre d'un clan qui refusait de sauver la vie de son chef au risque de la sienne était regardé comme un lâche qui *désertait* son père au moment du péril, et la honte était le plus cruel de ses châtiments.

Le territoire de chaque clan étant censé être une propriété commune, administrée par le chef au nom de tous, devait fournir à chacun sa subsistance; mais il y avait dans le partage du sol une inégalité fondée sur la hiérarchie de la famille. Le chef, qui gouvernait par droit de primogéniture, avait sous lui de petits chefs ou *chieftains*, qui représentaient les frères cadets; puis venaient les *dwine-waisels* ou gentilshommes qui pouvaient faire remonter leur origine à l'ancêtre commun, et prouver leur parenté immédiate avec le chef; ils étaient en général les *tacksmen*, ou principaux fermiers ou tenanciers. Enfin, au-dessous de cette classe était celle des hommes qui cultivaient le sol pour les gentilshommes, soit comme simples serviteurs, soit comme sous-tenanciers. Mais ces derniers, aussi bien que ceux que, faute d'une autre expression, nous avons désignés sous le nom de *gentilshommes*, se regardaient comme attachés les uns aux autres ainsi qu'au chef lui-même, par les liens du sang, seulement à des degrés différents. Si les divers clans eussent été unis entre eux par un lien fédéral qui en eût formé un corps de nation, nul doute qu'ils eussent eu une influence prépondérante sur les destinées de l'Écosse entière; mais ils étaient indépendants les uns des autres, et souvent en guerre entre eux. C'est principalement à l'aide de ces divisions que les gouvernements d'Écosse d'abord, et plus tard d'Angleterre, sont parvenus à les soumettre. Ils se montrèrent dévoués aux Stuart, surtout quand le presbytérianisme[2] eut pénétré dans les basses terres. Plus d'une fois, ils contribuèrent à soutenir l'autorité royale contre les *Lowlanders* (habitants des basses terres), contre lesquels du reste ils étaient animés d'une haine

---

[2] *Le presbytérianisme, prêché par Calvin, rejetait l'autorité de Rome. Les fidèles étaient dirigés à la fois par des pasteurs et par des laïcs. En Écosse, où la nouvelle religion se répand à partir de 1560 sous l'impulsion de John Knox, le presbytérianisme se double d'un violent antimonarchisme. Voir à la fin du volume.*

héréditaire ; car ils les regardaient comme les injustes détenteurs du sol d'où avaient été expulsés leurs aïeux lors de l'invasion des Saxons. Cette antipathie ne fit qu'augmenter quand les prédications de Knox et de ses disciples eurent répandu les doctrines de Calvin parmi le plus grand nombre des Lowlanders, et que de ces funestes doctrines sortirent comme conséquences nécessaires la rébellion envers l'autorité royale, le renversement du trône et l'assassinat juridique d'un roi.

Dans ces temps déplorables de révolutions et d'anarchie, les montagnards prirent souvent les armes et se signalèrent par leur dévouement à la cause de leur roi malheureux. Leur gloire militaire est associée au souvenir des guerres de Montrose, cet héroïque et chevaleresque défenseur de Charles Ier. En 1689, ils combattirent sous le vicomte de Dundee, en faveur de Jacques II détrôné par son propre gendre ; ils remportèrent même une brillante victoire à Killiecrankie, mais elle fut rendue inutile par la mort de leur chef Claverhouse. En 1715, ils avaient pris les armes pour soutenir le chevalier de Saint-Georges (Jacques III), le père de ce même Charles-Édouard qui venait aujourd'hui avec tant de confiance et de courage implorer leur appui. Comment auraient-ils résisté aux prières du fils de leurs rois, qui leur rappelait tant d'héroïques souvenirs, qui venait les délivrer de l'oppression d'un souverain étranger[3], et leur rendre leur indépendance ?

Tels étaient les motifs qui avaient déterminé Charles-Édouard à débarquer dans ce pays plutôt que dans aucune autre contrée des trois royaumes. Il connaissait tous les efforts que le gouvernement des rois Georges Ier et Georges II avait faits pour gagner les principaux chefs montagnards ; mais à l'exception du duc d'Argyle, chef du clan nombreux des Campbell, tous avaient résisté à ses offres. Aussi s'inquiétait-il peu de l'espèce de résistance qu'il rencontra d'abord ; il était sûr que d'un mot, d'un geste ou d'un regard, il en triompherait[4].

---

[3] *Après la révolte de 1715, la maison de Hanovre obtint du parlement une loi pour désarmer tous les highlanders ; on ouvrit des routes stratégiques pour rendre le pays accessible aux armées régulières, et l'on bâtit des forteresses sur divers points pour dominer le pays. (Voir détails en annexes).*
[4] *Le prince avait du charme et de la générosité. En 1743 et 1744, l'Écosse avait connu la famine, et le scorbut faisait encore des victimes en 1745. À peine débarqué, il racheta la cargaison de blé et d'orge de deux navires arraisonnés près des côtes et les redistribua aux paysans : geste pratique et symbolique à la fois, promettant implicitement que la victoire des jacobites garantirait une abondance de nourriture pour tous.*

Il en fit l'épreuve le lendemain même de son arrivée à Borodale, où il reçut la visite du chef de la tribu des Camerons, l'une des plus nombreuses et des plus puissantes des montagnes.

Ce chef, nommé Lochiel le jeune, parce que son père vivait encore, mais exilé et proscrit depuis l'insurrection de 1715, était un des membres du comité jacobite[5] d'Écosse. Aucune famille n'avait donné plus que la sienne des preuves d'un attachement inviolable à la cause des Stuart. Son aïeul, sir Evan Cameron, avait été le fidèle compagnon de Montrose et de Claverhouse ; son père, nous venons de le dire, subissait encore l'exil pour prix de sa fidélité, et lui-même se montrait aussi dévoué pour la légitimité que son père et son aïeul. Cependant, lors de la réunion du comité d'Édimbourg dont nous avons parlé, il avait été du nombre de ceux qui avaient déclaré que si le prince n'amenait pas avec lui un corps de troupes auxiliaires, il y aurait folie à tenter une pareille entreprise, et que les fidèles royalistes eux-mêmes devaient s'y opposer, en refusant au prince leur adhésion ; et comme Lochiel jouissait d'une grande réputation de bravoure et de talent, son opinion avait entraîné tous les chefs montagnards qui faisaient partie du comité.

Lochiel, en apprenant que Charles était débarqué seul et sans armes, crut de son devoir de se rendre auprès de lui sans y être appelé, pour lui exposer lui-même les motifs qui l'empêchaient d'adhérer à son entreprise, et l'engager à y renoncer pour le moment. En se rendant à Borodale, il s'arrêta chez son frère John Cameron de Fassefern, et lui fit part de sa démarche. Son frère l'approuva, mais il voulut le dissuader de voir le prince : «car, lui dit-il, je vous connais, et si une fois il jette les yeux sur vous, il fera de vous ce qu'il voudra.» Lochiel lui assura qu'il montrerait plus de fermeté, et il continua sa route.

En effet, dès qu'il fut admis en présence du prince, il lui fit connaître toute sa pensée, lui exprimant avec respect ses regrets et les motifs de sa résolution désormais inébranlable, si, comme il était à craindre, on ne pouvait compter sur les secours de la France. Charles-Édouard le laissa parler sans l'interrompre, puis il lui dit en souriant : «Vous y tenez donc beaucoup, aux secours de la France ? – Votre Altesse Royale, reprit Lochiel, sait que c'est la condition *sine qua non* à laquelle le comité d'Écosse s'est engagé à lui donner son concours, parce que sans cela il regarde comme impossible le succès de votre

---

[5] *Les Jacobites sont les partisans des Stuart exilés, Jacques II puis Jacques III.*

entreprise. – Vous attendiez une armée avec moi pour vous décider à me suivre, continua le prince d'un ton grave et pénétré: eh bien! je viens seul, comme j'en avais eu d'abord l'intention. J'ai fait cependant, pour donner satisfaction aux désirs de quelques-uns de mes amis, les démarches les plus actives afin d'obtenir de la cour de France les secours qu'elle m'avait promis. Je n'ai reçu des ministres de Louis que des réponses évasives, de fausses espérances peut-être. Loin de me décourager, ces refus n'ont fait que m'affermir dans ma résolution. J'en ai remercié le Ciel, parce qu'il m'accordait une grâce que je lui avais depuis longtemps demandée: celle, si je devais relever le trône de mes pères, de ne rien devoir qu'à la bravoure de mes fidèles Écossais. On accuse ma démarche de témérité; et s'est-il jamais présenté une occasion plus favorable que celle qui s'offre aujourd'hui? L'armée anglaise est occupée sur le continent; Georges II lui-même et son fils, le duc de Cumberland, sont absents du royaume; il ne reste en Angleterre que des troupes hanovriennes ou hollandaises humiliées et abattues par la défaite de Foutenoy. Voilà les seuls ennemis que nous aurons à combattre, et les fidèles sujets du roi légitime ne suffiront-ils pas pour les vaincre? Pour moi, j'en ai la ferme conviction, et je suis persuadé que l'Écosse et l'Angleterre, loin de me faire un reproche de ma confiance, me sauront gré de leur avoir épargné la honte d'une intervention étrangère. Que l'électeur de Hanovre ait recours à des soldats étrangers, je le conçois, car il est étranger lui-même; mais moi, le représentant légitime des vieilles dynasties d'Écosse et d'Angleterre, c'est sur le parti national seul que je dois m'appuyer, et c'est mon droit et mon devoir de venir me mettre à sa tête, comme je le fais aujourd'hui. Une première victoire en entraînera une seconde; ceux que la prudence rend encore hésitants s'empresseront alors de m'offrir leurs bras; le retentissement de ces premiers succès hâtera peut-être la venue des Français; mais ils ne seront plus alors que des alliés, et non des protecteurs; nous aurons la gloire d'avoir achevé par nous-mêmes la restauration du trône légitime, et d'avoir délivré la patrie du joug de l'étranger[6].»

---

[6] *La confiance du prince n'était point une vaine présomption, et son opinion sur l'opportunité d'une révolution en Angleterre a été partagée par la plupart des historiens et des hommes politiques de cette époque. «Jamais, dit Voltaire, le temps d'une révolution ne parut plus favorable. Le roi Georges était alors hors du royaume, et il n'y avait pas six mille hommes de troupes réglées dans l'Angleterre.» (Précis du siècle de Louis XV, chap. XXIV.)*

Le prince s'était animé peu à peu en prononçant ces paroles; le feu de ses regards, le son de sa voix remuaient profondément l'âme de son interlocuteur. Lochiel était vaincu; mais un reste d'amour-propre l'empêchant d'avouer sa défaite, il demanda quelques jours pour réfléchir et faire part à ses amis des observations que Son Altesse Royale venait de lui présenter.

«Non, non, s'écria le prince, qui, voyant Lochiel ébranlé, voulut poursuivre son avantage; plus de retard, plus de délai. Voyez, ajouta-t-il en lui montrant une centaine de montagnards armés que lui avaient amenés Clanranald et ses amis; voyez ces quelques amis qui m'entourent; j'en attends encore à peu près autant, et avec cette petite troupe j'arborerai dans peu de jours l'étendard royal, annonçant à la Grande-Bretagne que Charles Stuart est venu réclamer la couronne de ses ancêtres, prêt à vaincre ou à périr. Lochiel, dont mon père m'avait si souvent vanté la fidèle amitié, peut rester chez lui; il apprendra par la renommée le sort de son prince.»

Lochiel ne put tenir à ce dernier reproche: — Non, non, s'écria-t-il avec enthousiasme, je le jure devant Dieu, je partagerai la destinée de mon prince, heureux ou malheureux; et ainsi feront tous ceux sur qui la nature et la fortune m'ont donné quelque autorité!»

Charles-Édouard reçut avec joie ce serment d'un chef dont l'exemple allait triompher de l'hésitation des plus timides ou des plus prudents. On tint conseil avec Clanranald et ses amis; il fut convenu que Lochiel s'occuperait immédiatement de rassembler son clan; qu'on inviterait tous les autres chefs sur lesquels on pouvait compter à en faire autant; puis on fixa le lieu du rendez-vous général à Glenfinnin[7], où serait arboré l'étendard royal.

Tandis qu'on s'occupait de ces préparatifs, la renommée annonça rapidement la nouvelle de l'arrivée de Charles-Édouard en Écosse. Un grand nombre de montagnards n'attendaient que le signal pour se réunir au prince; de leur côté, les commandants des forts construits pour contenir le pays se hâtaient de les mettre en état de défense. Deux compagnies envoyées au gouverneur du fort William[8] pour renforcer sa garnison furent surprises dans un défilé par quelques montagnards

---

[7] *Glenfinnin (aujourd'hui Glenfinnan) est une de ces vallées longues et étroites particulières à l'Écosse. Elle est arrosée par la rivière ou le torrent de Finnin, qui lui donne son nom; car le mot* glen, *en langue celtique ou erse, signifie vallée.*
[8] *Devenu la ville de Fort-William, où ne subsiste nulle forteresse.*

du clan de Macdonald de Keppoch. Ceux-ci, quoique bien inférieurs en nombre, mais abrités par des rochers et des touffes de genêts, n'hésitèrent pas à commencer l'attaque. À la première décharge, le commandant de la troupe fut blessé grièvement, et deux de ses soldats furent tués ; le reste, indécis, ne savait s'il devait avancer ou reculer, quand tout à coup parut Lochiel à la tête d'un nombreux détachement de Camerons. Sommés de se rendre, les soldats mirent aussitôt bas les armes et se constituèrent prisonniers. Les deux clans, enchantés de ce premier succès, sentirent redoubler leur ardeur, en voyant qu'ils pouvaient compter les uns sur les autres, et ils continuèrent gaiement leur route pour Glenfinnin, où ils se rendaient quand ils avaient rencontré les *habits rouges*[9].

Déjà Charles-Édouard était arrivé au rendez-vous (19 août 1745), et il commençait à s'inquiéter du retard de Lochiel, quand il entendit le *pibroc*[10] du clan des Camerons. Bientôt il vit défiler devant lui, sur deux colonnes, huit cents hommes de ce clan et de celui des Macdonalds lui amenant des prisonniers avant que la guerre fût commencée. Lochiel et Macdonald de Tiendriech[11] lui apprirent alors leur rencontre dans la matinée avec des soldats du roi Georges, ce qui leur avait fait manquer l'heure du rendez-vous. On pense bien qu'une pareille excuse fut accueillie avec joie par le prince, heureux de voir un des premiers chefs, encore indécis la veille, tirer si résolument l'épée et en jeter le fourreau.

Aussitôt après l'arrivée des Camerons, Charles-Édouard passa en revue ce qu'il appelait déjà son armée, et qui, avec les hommes réunis par Clanranald et les autres chefs, montait à douze ou quinze cents guerriers. Puis cette troupe s'étant rangé autour d'une petite éminence qui dominait tout le vallon, le marquis de Tullibardine s'avança sur le sommet de la colline, et y déploya l'étendard royal, que Charles-Édouard avait apporté de France. À cette vue, une immense acclamation, fit retentir les échos de la vallée, toutes les têtes se découvrirent pour saluer ce signe national de ralliement, et tous, le sabre élevé en l'air, jurèrent de le défendre.

---

[9] *C'était le nom que donnaient les montagnards aux soldats anglais, d'après la couleur de leur uniforme.*
[10] *Air guerrier joué sur la cornemuse, instrument qui accompagnait toujours les clans écossais. (Pibroc'h).*
[11] *Tiendrich.*

Le marquis de Tullibardine ayant fait signe qu'il voulait parler, un profond silence succéda à ces tumultueux transports. D'une voix forte et retentissante, il lut le manifeste du roi Jacques VIII qui nommait son fils aîné régent en son absence. Quand il eut terminé cette lecture, le prince lui-même prit la parole, pour dire, en quelques mots bien sentis, qu'il avait préféré débarquer dans cette partie de l'Écosse parce qu'il était sûr d'y rencontrer les plus braves sujets de son père et les plus dévoués à sa cause : aussi n'avait-il pas hésité un instant à venir vaincre ou mourir avec eux. De nouvelles acclamations et des protestations enthousiastes accueillirent le discours du prince ; puis, pour terminer la cérémonie, l'étendard fut transporté en grande pompe dans sa tente, escorté par une garde de cinquante Camerons, et l'armée campa cette nuit dans la vallée, autour de l'étendard royal[12].

Charles-Édouard profita d'un instant de repos pour écrire à son père et au roi de France, et leur annoncer les premiers effets produits par son arrivée en Écosse. Voici sa lettre à Louis XV :

« Monsieur mon oncle,

« J'eus l'honneur, il y a quelque temps, de donner avis à Votre Majesté de mon voyage ; j'ai aujourd'hui celui de lui faire part de mon arrivée en ce pays, où je trouve beaucoup de bonne volonté ; et j'espère de me voir en peu de temps en état d'agir. Il dépend uniquement de Votre Majesté de faire réussir mon entreprise. Ce qui ne lui sera pas difficile pour peu qu'elle veuille faire attention à mes besoins, et couronner par là la campagne glorieuse qu'elle vient de faire. Un secours qui ne coûterait que peu à Votre Majesté me mettrait bientôt en état d'entrer en Angleterre, et m'obligerait à une reconnaissance égale à l'attachement respectueux avec lequel je serai toujours, Monsieur mon oncle, de Votre Majesté, le très affectionné neveu,

« CHARLES, P. »[13]

Le lendemain, 20 août, Charles-Édouard apprit que les régents d'Angleterre, d'Écosse et d'Irlande, chargés du gouvernement en l'absence de Georges II, à la nouvelle de son débarquement, avaient publié une proclamation dans laquelle ils le déclaraient hors la loi, et

---

[12] *M. Amédée Pichot*, Hist. du prince Charles-Édouard, *t. I, p. 340 et suivantes.*
[13] *Archives des affaires étrangères, manuscrits. Cette lettre est sans date.*

offraient trente mille livres sterling (sept cent cinquante mille francs[14]) à qui apporterait sa tête ; que les magistrats d'Édimbourg avaient décidé que des forces militaires suffisantes seraient envoyées dans les Highlands pour étouffer la rébellion ; et que sir John Cope, chargé du commandement en chef des troupes stationnées en Écosse, s'avançait à la tête de quatre à cinq mille hommes, infanterie et cavalerie, dans les défilés des montagnes. Charles-Édouard n'hésita pas à marcher à la rencontre de l'ennemi, malgré l'infériorité numérique de sa petite armée ; mais dans la direction qu'il devait suivre pour joindre sir John, il traverserait des comtés où il savait trouver des amis, et où sa troupe se grossirait à chaque pas de nouvelles recrues ; d'un autre côté, quand même il serait forcé de combattre avec ses quinze cents hommes contre les quatre mille de sir Cope, ce désavantage serait amplement compensé par la connaissance que ses montagnards avaient du pays, et la facilité d'y faire une guerre de partisans, où ils auraient une supériorité marquée sur des troupes réglées, quelque bien disciplinées qu'elles fussent.

Une partie de ses prévisions se réalisa. Chaque jour Charles-Édouard vit sa troupe se recruter de nouveaux venus, et parmi eux il vit surtout avec le plus grand plaisir arriver bon nombre de montagnards qui faisaient partie des régiments commandés par sir John Cope, et qui avaient déserté aussitôt qu'ils étaient entrés dans les Highlands. Le prince apprit par eux tous les détails de la marche des Anglais, qui s'avançaient à petites journées et avec les précautions usitées en pays ennemis. Mais les connaissances stratégiques de sir John Cope étaient déroutées à chaque instant par l'imprévu d'une guerre où tout était nouveau pour lui et où rien ne se faisait suivant les règles de la tactique militaire. Il avait été obligé de laisser à Stirling sa cavalerie, composée de deux régiments de dragons, parce qu'il lui était impossible d'en faire usage dans ce pays de montagnes, sans routes frayées, et n'offrant que des sentiers souvent à peine praticables pour un fantassin. Il s'était fait suivre d'un nombreux convoi de vivres et de munitions, de troupeaux de bœufs, et de bêtes de somme chargées de porter les bagages ; mais, après quelques jours d'une marche pénible dans les montagnes, les convois avaient été pillés, les bœufs et les bêtes de somme enlevés, sans qu'on eût pu apercevoir les maraudeurs qui avaient fait ce coup

[14] *En 1865, date de rédacion de cet ouvrage, il s'agit vraisemblablement du* franc germinal, *qui pèse 6,045 g, dont 5,801 g d'or pur.*

audacieux. Ses rangs, au lieu de se grossir comme ceux de Charles-Édouard, en avançant s'éclaircissaient par la désertion ; et cependant on ne découvrait aucun ennemi. Les rares habitants qu'il rencontrait ne lui donnaient que des renseignements vagues sur le nombre et la marche de l'armée du prince ; ceux qu'il prenait pour guides le trompaient ou l'égaraient, puis disparaissaient adroitement quand ils avaient atteint leur but.

Instruit de tous ces faits, Charles-Édouard pouvait choisir le terrain où aurait lieu sa rencontre avec le général anglais, et prendre une position qui lui garantirait le succès. Le Corryarrack, montagne immense que devait franchir l'armée anglaise en s'engageant dans des ravins et des sentiers étroits, où il était facile à quelques hommes d'arrêter longtemps ou même de détruire une armée entière, lui offrait tous les avantages qu'il pouvait désirer. Il résolut donc de s'en emparer.

Sir John Cope apprit cette résolution de Charles-Édouard par le capitaine Scott, celui qui commandait les deux compagnies attaquées et défaites par les montagnards dans la matinée du 19 août, et qui avait été blessé et fait prisonnier. Amené au prince, il avait reçu les soins les plus empressés, et avait été en état de suivre l'armée quand elle quitta Glenfinnin. Quant à ses soldats, tous sans exception avaient pris du service auprès de Charles-Édouard, qui s'en servait adroitement auprès des chefs montagnards pour prouver les bonnes dispositions de l'armée anglaise envers lui. Le capitaine ne paraissait pas disposé à imiter ses subordonnés : cependant le prince, après l'avoir gardé quelques jours, jusqu'à ce qu'il fût assez bien rétabli, lui rendit la liberté sur parole ; celui-ci se hâta de rejoindre sir John Cope, qu'il rencontra le 25 août à Dalnacardoch.

La mise en liberté du capitaine Scott était une mesure d'une très adroite politique. Le capitaine était un whig prononcé[15], et par

---

[15] *Le nom de* whigs *fut donné dans l'origine, en 1648, aux covenantaires (presbytériens), aux parlementaires, aux mécontents, et en général à tout membre de l'opposition anti-royaliste. Sous la maison de Hanovre, les partisans de cette dynastie reçurent généralement le nom de* whigs. *Aux whigs sont opposés les* torys. *Ce nom fut donné d'abord aux partisans de la monarchie légitime; puis sous le roi Guillaume, comme un grand nombre de torys se rallièrent à lui, on les appela* williamistes, *et ceux qui restèrent fidèles à la dynastie légitime reçurent le nom de* jacobites. *Les noms de whigs et de torys sont encore aujourd'hui usités en Angleterre; mais ils ont perdu leur signification primitive, et ne servent guère qu'à désigner des nuances de partis, comme les conservateurs et les progressistes.*

conséquent l'adversaire irréconciliable du parti jacobite ; mais si Charles avait reconnu en lui un ennemi déclaré, il avait en même temps trouvé dans cet ennemi de la franchise et de la loyauté. Il avait désarmé son bras, en lui rendant sa liberté à condition qu'il ne servirait pas contre lui dans cette guerre ; mais il lui avait laissé toute liberté de parler et de dire ce qu'il avait vu ; or, il avait été témoin des acclamations qui avaient salué l'étendard royal à Glenfinnin, et il avait vu depuis avec quel empressement les montagnards accouraient chaque jour se ranger sous cet étendard. Ces faits, dans la bouche d'un jacobite, auraient pu paraître incroyables ou exagérés ; dans la bouche du capitaine Scott, ils revêtaient un cachet de vérité incontestable, sans rien perdre de leur côté extraordinaire et presque merveilleux. Le prince n'avait pas même laissé ignorer au capitaine son intention de s'emparer du Corryarrack, et d'y combattre sir John s'il voulait franchir cette montagne. De deux choses l'une : ou le général anglais, connaissant les intentions de son adversaire, l'attaquerait dans la position inexpugnable qu'il avait choisie, et se ferait battre complètement ; ou il n'oserait pas l'attaquer, et il se retirerait honteusement. Dans l'un et l'autre cas, il n'en résulterait pas moins de gloire pour l'armée jacobite.

C'est en effet ce qui arriva, comme le prince l'avait prévu. Le capitaine Scott dit à sir John que les Highlanders réunis autour du prince montaient à plus de quinze cents quand il l'avait quitté ; mais que, d'après le nombre des détachements qu'il avait rencontrés se rendant auprès de lui, son armée devait être de plus de trois mille hommes, presque aussi forte par conséquent que celle de sir John Cope. Il ajouta ce qu'il savait du projet du prince de s'emparer du Corryarrack, et il conseilla à sir John de ne pas s'exposer au danger certain d'être battu en attaquant cette position formidable.

D'après ces renseignements, et d'autres qui ne firent que confirmer ceux du capitaine, sir John Cope assembla un conseil de guerre, où furent convoqués tous les officiers supérieurs. L'avis unanime fut d'éviter la rencontre des montagnards et de battre en retraite ; seulement, pour ne pas avoir l'air de fuir devant eux, au lieu de rétrograder par le même chemin, on jugea plus honorable de se porter sur Inverness par un long détour. Cette délibération fut rédigée et signée dans les formes ; un corps d'avant-garde feignit de marcher droit sur Corryarrack, enseignes déployées, pour tromper l'ennemi, pendant que les régiments défilaient vers Blarigbigg, et là, faisant demi-tour à droite, prenaient la route de Ruthven à Inverness. Le mouvement s'opéra en assez bon ordre ; la fausse avant-garde se replia tout à coup sur le corps d'armée, qu'elle rejoignit en courant; et le 27, sir John Cope entra dans Inverness[16].

Le même jour, Charles Édouard arrivait à Corryarrack, où un déserteur de l'armée anglaise appartenant au clan des Camerons vint l'avertir de la retraite des Anglais. À cette nouvelle, Édouard demanda une tasse de whisky (espèce d'eau-de-vie d'orge[17]) et, en faisant verser une autre à chaque montagnard: «Buvons, dit-il, à la santé de ce bon M. Cope, et puissent tous les généraux de l'usurpateur se montrer nos amis comme lui!»[18]

Le prince fit poursuivre les *habits rouges* jusqu'à Garrymore, afin de bien constater qu'ils fuyaient honteusement devant lui. C'était une victoire morale plus importante peut-être que celle qu'il eût remportée à Corryarrack, et qui eût été certainement plus sanglante sans obtenir de meilleurs résultats. En effet, l'ennemi fuyait vers le nord, dans la direction d'Inverness, laissant libre la route qui conduisait à Perth et à Édimbourg. Charles-Édouard résolut de ne pas inquiéter davantage la retraite; il réunit les chefs en conseil, et d'un commun accord il fut résolu qu'on marcherait sur Édimbourg, dont la possession équivaudrait à une grande victoire. Murray de Broughton, le même que nous avons vu envoyé par le comité d'Écosse au-devant du prince pour l'engager à retourner en France quand il débarquerait, et qui, suivant l'exemple de Lochiel, avait depuis peu de jours rejoint l'armée du régent, Murray répondait des dispositions favorables des jacobites de la capitale de l'Écosse. «À Édimbourg! à Édimbourg!» fut aussitôt le cri général de l'armée, et l'on se mit en marche pour cette ville.

Le deuxième jour, Charles-Édouard était déjà dans le Badenoch; le troisième à Blair, résidence du duc d'Athole. Nous avons dit que le marquis de Tullibardine, l'un des sept braves de Moidart, était titulaire de ce duché; mais qu'il avait été privé de son titre pour avoir pris part à l'insurrection de 1715. Son frère cadet, ayant prêté serment de fidélité au gouvernement usurpateur, avait été investi de ce titre. Il s'était enfui à l'approche de l'armée royale, et le marquis de Tullibardine, regardé par les jacobites comme le duc légitime, fit, en l'absence de son frère,

---

[16] *M. Amédée Pichot*, Hist. du prince Charles-Édouard, *t. I, p. 340 et suivantes.*
[17] *Cette note est aujourd'hui inutile, mais à l'époque de ce récit, l'aristocratie anglaise ou écossaise boit du* brandy *(cognac), et le whisky est un tord-boyaux de paysans.*
[18] *Journal and Memoirs.*

les honneurs du château au prince et à ses officiers. Le clan presque entier salua avec transport le retour de son véritable chef, et se déclara en faveur des Stuart. Pendant son séjour au château de Blair, Charles-Édouard reçut la visite de lord Nairn, de sir Georges Murray, de ses frères et de plusieurs gentilshommes du comté qui vinrent lui rendre leurs hommages et lui offrir leurs épées; cet exemple fut suivi par Oliphant, laird de Gask, et Mercer, laird d'Aldie, dont les tenanciers formèrent un régiment. Le duc de Perth arriva aussi avec deux cents hommes, le 3 septembre. Enfin, Lochiel, avec quatre cents Camerons, alla proclamer Jacques VIII à Dunkeld, et le 4 septembre le prince fit son entrée à Perth, au milieu des acclamations de toute la population de la ville accourue à sa rencontre[19].

March from Inverness south suivants encore ↓ Perth

---

[19] _M. Amédée Pichot, Hist. du prince Charles-Édouard., t. I, p. 340 et suivantes._

Chapitre V

Perth avait été autrefois le séjour favori de plusieurs rois d'Écosse de la famille des Stuart. À trois milles de cette ville est la célèbre abbaye de Scone, où se faisait le couronnement des rois d'Écosse. La vue de Charles-Édouard ranima tous ces vieux souvenirs. Les habitants de Perth reconnaissaient en lui, avec un sentiment d'orgueil, le descendant de leurs anciens souverains, et surtout de ce Jacques VI qui avait tenu à honneur d'être leur lord prévôt. Les grâces de sa personne, sa taille avantageuse, l'éclair de son regard et la hardiesse de son entreprise, leur rappelaient tout à la fois sa noble origine et le souvenir de Robert Bruce, l'un de ses glorieux ancêtres, qui lui aussi avait délivré la patrie du joug de l'étranger. Vêtu du costume des montagnards, il avait adopté leur genre de vie et leurs habitudes ; rien n'annonçait en lui la mollesse trop ordinaire aux princes élevés dans les cours ; l'exercice de la chasse, auquel il s'était livré pendant son séjour en Italie, l'avait rendu un marcheur infatigable. Riant des privations, franchissant le premier les rochers et les torrents, toujours gai, toujours affable, il trouvait sans les chercher de ces mots heureux qui courent de rangs en rangs et électrisent le soldat[1]. Aussi ses compagnons étaient-ils fiers d'un tel chef ; ceux qui avaient été longtemps indécis étaient devenus les plus ardents, et la confiance de tous était telle, que nul obstacle ne leur paraissait désormais insurmontable[2].

Charles-Édouard prolongea son séjour à Perth pendant une semaine, pour régulariser un peu son armée et l'exercer à quelques manœuvres. Il nomma pour son lieutenant général lord Georges Murray, digne par

[1] *M. Amédée Pichot*, Hist. du prince Charles-Édouard, *t. I, p. 340 et suiv.*
[2] *Id., ibid.*

ses talents, sa bravoure et sa fidélité aux Stuart, de remplir ces hautes fonctions. Il avait pris part à la guerre de 1715, et, forcé de se retirer sur le continent, il avait servi avec distinction dans les troupes sardes. Il était d'une taille élevée, actif, robuste, d'une bravoure à l'épreuve, excellent dans le conseil et prompt dans ses décisions. Son défaut était une franchise un peu brusque, qui ne déplaisait pas aux soldats, mais qui blessait ses égaux.

Pendant son séjour à Perth, le prince s'occupa aussi activement de se procurer les ressources nécessaires pour poursuivre son expédition. Sa caisse militaire était complétement vide ; il s'empara d'abord des fonds du gouvernement qu'il trouva dans les caisses publiques, puis il envoya à Dundee et dans le voisinage lever des contributions au nom du roi Jacques VIII ; il reçut aussi quelques subsides des jacobites d'Édimbourg, et les habitants de Perth lui donnèrent cinq cents livres sterling (douze mille cinq cents francs).

Enfin, le 11 septembre, l'armée se mit en marche pour Édimbourg. Elle fit halte à Dunblane, où elle fut jointe par les Macdonalds de Glencoe, et par les MacGregors, commandés par le neveu et le fils du chef si connu sous le nom de Rob Roy[3]. On se dirigea ensuite sur les gués du Frew, à huit milles au-dessus de Stirling, où Charles-Édouard se proposait de passer le Forth. En 1715, le comte de Mar, qui commandait l'armée jacobite, n'avait pu le franchir. Le prince s'attendait à voir les dragons laissés à Stirling par sir John Cope lui disputer ce passage ; mais aucun ne se présenta, et Charles-Édouard, arrivé au bord du fleuve, poussa le premier son cheval dans les flots en agitant son épée nue. Les montagnards se précipitèrent à sa suite, et il reçut chaque clan sur l'autre rive avec un sourire et des félicitations qui redoublaient leur enthousiasme. On fit halte à Leckie House, dans un château dont le propriétaire, jacobite zélé, avait été enlevé la nuit précédente par les dragons et emmené à Stirling. Le soir, l'avant-garde arriva dans la plaine de Touche, d'où un détachement de six cents montagnards fut envoyé à Glascow pour lever un subside de quinze cents livres sterling.

Le gros de l'armée s'avança le lendemain au-delà de Stirling, qui fit sa soumission, mais dont le château refusa de se rendre. On campa

---

[3] *Rob Roy MacGregor, 1670-1734, fermier, voleur de bétail, hors-la-loi, était un ardent défenseur de la cause jacobite pour laquelle il combattit en 1715, ce qui le mena en prison.*

dans la plaine de Bannockburn, célèbre par la grande victoire qu'y remporta Robert Bruce contre les Anglais oppresseurs de son pays. Ce souvenir ne manqua pas d'être invoqué par les compagnons de Charles-Édouard, qui regardaient leur jeune prince comme un nouveau Robert Bruce, ralliant l'Écosse entière autour de sa bannière longtemps proscrite.

Le 15, il coucha à Falkirk et le 16 à Linlithgow, ville jacobite, et fière comme Perth des souvenirs de la résidence des Stuart. Les habitants l'accueillirent avec enthousiasme et le conduisirent en triomphe au château de ses ancêtres, à ce château si cher à l'infortunée Marie Stuart. Enfin, le 17, Charles-Édouard arriva en vue d'Édimbourg.

La plus grande confusion régnait dans cette ville. Il n'y avait aucunes troupes capables de résister aux montagnards écossais ; le conseil municipal, convoqué extraordinairement dans une église, délibérait tumultueusement, lorsque tout à coup on apporte une lettre de Charles-Édouard ; le lord prévôt s'oppose à la lecture de ce papier séditieux, signé *Charles, prince régent* ; il veut s'éloigner, mais on le force à rester pour l'écouter. Cette lettre était ainsi conçue :

«De notre camp, 16 septembre 1745.

«Étant sur le point d'entrer dans la capitale de l'ancien royaume de Sa Majesté, nous vous sommons de nous recevoir comme votre devoir vous y oblige. Vous êtes donc requis, au reçu de la présente, de convoquer le conseil municipal, et de prendre les mesures convenables pour garantir la paix de la ville, que nous désirons vivement protéger. Mais si vous souffrez qu'aucune troupe de l'usurpateur y pénètre, ou emporte les canons, les armes et munitions (propriétés publiques et particulières) qui s'y trouvent, nous le considèrerons comme une violation de nos devoirs, et un outrage coupable fait au roi et à nous-même. Nous promettons de conserver tous les droits et privilèges de la ville, ainsi que les propriétés particulières des sujets de Sa Majesté ; mais si quelque résistance nous est opposée, nous ne pouvons répondre des conséquences, étant fermement résolu d'entrer à tout prix dans la ville ; et, dans ce cas, tout habitant qui sera trouvé en armes contre nous ne doit pas s'attendre à être traité comme prisonnier de guerre.

«Charles, P. R.»

Après la lecture de cette lettre, la question de se rendre fut mise en délibération. On reconnut qu'il était impossible de résister jusqu'à l'arrivée des secours que sir John Cope devait ramener d'Inverness. On convint donc d'envoyer, *à la personne qui prenait le titre de prince régent*, une députation pour traiter ou demander du temps.

Les députés furent reçus par John Murray, qui, après avoir pris connaissance de la délibération du conseil municipal, y fit une réponse écrite dans laquelle il disait que, les manifestes de Charles-Édouard étant une garantie suffisante pour les citoyens, il les invitait pour la dernière fois à se soumettre paisiblement. Malgré la lettre de Murray, les magistrats, dans l'espoir de gagner du temps, renvoyèrent une seconde ambassade. Mais cette fois on refusa aux députés l'entrée du camp, et le prince fit approcher d'Édimbourg sept à huit cents hommes avec ordre d'y pénétrer par surprise ou de vive force Au moment où ils arrivaient près de la porte de Netherbow, cette porte venait de s'ouvrir pour recevoir la voiture qui avait conduit les députés au camp. Les montagnards ne donnèrent pas le temps de la refermer, s'emparèrent du poste sans résistance, pénétrèrent dans les rues et en quelques instants se trouvèrent maîtres de toute la ville sans avoir rencontré le moindre signe d'opposition. Tout cela s'était passé pendant la nuit, et sans occasionner beaucoup de tumulte ; de sorte que le matin en s'éveillant les habitants d'Édimbourg trouvèrent tous les postes occupés par les Highlanders, et leurs patrouilles parcourant les rues pour y maintenir le bon ordre.

On conçoit avec quels transports de joie Charles-Édouard apprit à son réveil la prise d'Édimbourg, sans qu'un avantage de cette importance eût coûté une goutte de sang. Il donna aussitôt le signal à l'armée de se préparer à faire son entrée dans la ville. Bientôt l'armée se mit en marche ; mais elle ne put suivre la route directe, qu'aurait pu facilement balayer le canon du château où s'était retiré le général Guest, avec le petit nombre de soldats composant la garnison, restée fidèle à la maison de Hanovre. On fit un détour sur la droite, et l'on arriva par Duddingston à la promenade appelée *le Parc du roi*. Déjà une foule immense remplissait le parc et les jardins d'alentour ; whigs et torys, jacobites et presbytériens, étaient accourus avec un égal empressement pour voir le jeune prince qui depuis quelque temps occupait toutes les voix de la renommée. Les dames surtout étaient en grand nombre dans cette réunion ; car, dans cette entreprise aventureuse de Charles-Édouard, il y avait quelque chose de chevaleresque qui plaisait à leur imagination. Aussi, dès qu'il parut, donnèrent-elles le signal des applaudissements et des acclamations. Le prince s'avançait lentement, en souriant et en saluant de la main ; il portait sur sa veste de tartan à carreaux la croix écossaise de Saint-André ; une écharpe azur et or lui servait de baudrier, et à sa toque de velours bleu était attachée, comme une cocarde, la rose blanche de la maison de Lancastre. Ce costume simple faisait encore mieux ressortir sa taille avantageuse, son teint d'une délicatesse extrême, et toutes les grâces de sa personne. L'enthousiasme des jacobites gagna les whigs eux-mêmes, ou plutôt il n'y eut bientôt plus dans Édimbourg ni whigs ni jacobites, il n'y eut que des Écossais empressés de témoigner leur dévouement aux descendants de leurs rois légitimes. Tous trouvaient en lui une certaine ressemblance avec le portrait de Robert Bruce, qu'on voit dans la galerie du château d'Holyrood, et faisaient des vœux pour que ses succès rendissent cette ressemblance plus complète[4]. Un grand nombre de whigs ne furent pas des derniers à venir lui offrir leurs services, et l'un des premiers qui se prononcèrent fut un gentilhomme nommé James Hepburne de Keith, connu depuis longtemps par les principes les plus opposés à la monarchie et surtout à la monarchie légitime. Il déclara hautement qu'il regardait Charles-Édouard comme le champion de la délivrance de l'Écosse, et qu'il se dévouait franchement à sa cause ; puis, pour donner une manifestation publique et éclatante de ses sentiments, il se mit, l'épée à la main, en tête du cortège qui entourait le prince, et voulut lui servir en quelque sorte de héraut et de guide pour le conduire dans le palais de ses pères. Cette conduite de sir Hepburne, qui était généralement estimé de tous les partis, entraîna un grand nombre d'adhésions de whigs qui sans cela se seraient peut-être contentés de faire tout bas des vœux pour le prince, mais qui n'auraient pas osé le manifester hautement.

---

[4] *Voici un couplet d'une chanson jacobite (citée par M. Amédée Pichot) composée à cette époque, et qui dépeint l'impression que produisit Charles-Édouard lors de son entrée à Édimbourg :*
«*Oh ! better loved he canna be ; / Yet, when we see him wearing / Our highland garb sae gracefully, / 'Tis aye the mair endearing. / Though a'that now adorns his brow / Be but a simple bonnet : / Ere lang we'lle see of kingdoms three / The royal crown upon it.*
Ah ! il ne peut être aimé davantage ; cependant, lorsque nous le voyons porter si gracieusement notre costume montagnard, il nous paraît encore plus cher. Quoique son front ne soit orné à présent que d'une simple toque, avant peu nous verrons sur ce front la couronne de trois royaumes.»

Ainsi, deux mois ne s'étaient pas encore écoulés depuis que Charles-Édouard avait foulé pour la première fois la terre d'Écosse, n'ayant avec lui que six ou sept compagnons dévoués à sa fortune, et ne trouvant d'abord de la part de ses amis qu'irrésolution et refus opiniâtre de le suivre; il surmonte tous ces obstacles, en quelques jours une petite armée se réunit sous ses drapeaux, des troupes aguerries commandées par des officiers expérimentés s'enfuient à son approche, il s'empare sans coup férir de la capitale du royaume, y entre en triomphateur et vient s'installer, presque avec une pompe royale, dans le palais de ses ancêtres. Des résultats aussi brillants et aussi inespérés n'étaient-ils pas le gage assuré pour l'avenir d'un succès toujours constant jusqu'à la fin? Il était difficile de ne pas se laisser entraîner à cet espoir, partagé du reste par tout ce qui entourait le prince, et manifesté par les acclamations de la foule qui stationnait autour du palais de Holyrood.

Cependant, si la vue de ce château rappelait à Charles-Édouard de glorieux souvenirs, combien de tristes émotions ne dut-il pas éprouver en parcourant cette demeure royale, condamnée depuis soixante ans à une sorte de veuvage et de solitude par l'exil de sa famille! Et les portraits de tous ces rois ses aïeux, morts, les uns sur le champ de bataille, les autres sous le fer de leurs sujets révoltés, les autres sur l'échafaud ou dans l'exil, ne semblaient-ils pas lui dire: «Le bonheur n'est pas fait ici-bas pour notre famille; la fortune ne te comble aujourd'hui de ses faveurs que pour mieux t'accabler demain.» Mais la foule empressée et joyeuse qui entourait le prince ne lui laissait guère le temps de se livrer à ces tristes réflexions.

Tandis que Charles-Édouard se reposait à Holyrood, une cérémonie imposante avait lieu au carrefour de la Croix de High Street, où se faisaient de temps immémorial toutes les proclamations des actes publics. Il s'agissait de proclamer solennellement le roi Jacques VIII, et de publier l'ordonnance qui nommait Charles-Édouard régent du royaume. La place et les rues aboutissant au carrefour étaient couvertes d'une foule immense, et les innombrables fenêtres des maisons voisines, dont quelques-unes comptent jusqu'à dix étages, étaient garnies de dames qui agitaient leurs mouchoirs blancs pour exciter les acclamations du peuple. Aussitôt que les hérauts eurent achevé leur proclamation et leur lecture, un immense hurrah! retentit, et se mêla aux chants du *God save the king,* entonné par plus de cinquante mille voix. L'amour du roi légitime semblait universel, et le dévouement était porté à ce degré d'enthousiasme qui enfante des prodiges.

Pendant qu'Édimbourg se livrait aux transports d'allégresse qu'excitait la présence du prince régent dans ses murs, sir John Cope s'avançait en toute hâte pour empêcher cette ville de tomber au pouvoir du *prétendant*[5]. Ce fut à Dunbar, où il venait de débarquer avec ses troupes, qu'il apprit l'occupation d'Édimbourg par le prince. Mais celui qui lui apprit cette nouvelle lui assura que l'armée de Charles-Édouard n'était composée que de deux mille montagnards, irrégulièrement armés, les uns avec des fusils, les autres avec de simples claymores, et plusieurs avec des espèces de longues faux, appelées haches d'armes du Lochaber; d'ailleurs, sans artillerie, sans munitions et manquant de cavalerie: seulement, ajoutait-on, des renforts étaient attendus d'heure en heure par les Highlanders.

Sir John Cope reprit confiance en apprenant ces détails; il était convaincu que cette troupe indisciplinée ne pourrait tenir un instant devant les forces régulières qu'il commandait. Seulement, il résolut de se hâter, afin de ne pas donner aux renforts le temps d'arriver. Dès le 19 il quitta Dunbar pour aller camper dans la plaine de Haddington, à seize milles d'Édimbourg. À la tombée de la nuit, il envoya quelques volontaires en reconnaissance; deux tombèrent au pouvoir des soldats de Charles-Édouard, qui les remirent à John Roy Stuart, capitaine de la garde du prince. Déjà Charles avait été informé de la marche de sir John Cope. Les deux prisonniers lui firent connaître le lieu où il s'était arrêté cette nuit-là, ajoutant qu'il devait le lendemain venir camper près de Musselburgh. Le prince résolut aussitôt d'aller à sa rencontre, et donna l'ordre de se tenir prêt à partir au point du jour.

Le signal du départ fut accueilli avec enthousiasme par l'armée, dont le courage et la confiance semblaient avoir doublé par la prise d'Édimbourg. Charles-Édouard, en se rendant à l'avant-garde, traversa les rangs, et, montrant son épée nue, s'écria: «Mes amis, j'ai jeté le fourreau.» Une bruyante acclamation fut la réponse des montagnards, et ils se mirent joyeusement en marche.

Les deux armées se rencontrèrent dans la plaine située entre Preston et Seaton. Dès que sir John aperçut les montagnards, il se hâta de ranger ses troupes en bataille, étendant sa droite vers la

---

[5] *Quoique ce nom ait été donné principalement au père de Charles-Édouard, que l'on appelait aussi le chevalier de Saint-Georges lors de son expédition de 1715, les Anglais ont souvent désigné ainsi Charles-Édouard lui-même lors de l'expédition de 1745; seulement, ils l'appelaient ordinairement le* jeune prétendant *ou simplement le* chevalier.

mer, et sa gauche vers le village de Tranent ; mais, au lieu de venir directement à lui, comme il s'y attendait, les montagnards prirent une route oblique pour gagner une éminence qui dominait la plaine occupée par l'armée anglaise. Charles avait ordonné ce mouvement afin de laisser à ses soldats plus de facilité pour suivre leur tactique et fondre avec impétuosité sur l'ennemi. Sir John changea alors de position ; il appuya sa droite sur le village de Preston, et sa gauche sur Seaton House. Derrière lui étaient la mer et Cockenzie ; son front de bataille se terminait à un marais coupé par un fossé profond. Cette position était très forte, et Charles, après l'avoir fait reconnaître, vit l'impossibilité de l'attaquer de front ; il songea alors à le tourner par la droite ; mais dès qu'il eut fait cette démonstration, les Anglais reprirent leur première position. Cette journée se passa ainsi en évolutions de part et d'autre, et à la nuit les deux armées se reposèrent pour se préparer au combat du lendemain. Les Highlanders, enveloppés de leurs plaids, étaient couchés sur la terre nue ; Charles-Édouard, avant de prendre quelque repos, avait réuni ses officiers en conseil, et l'on était convenu que le lendemain, à la pointe du jour, on se porterait de l'est à l'ouest de Tranent, où le marais paraissait plus praticable, avec l'intention d'attaquer l'ennemi de ce côté. Ce plan arrêté, Charles-Édouard s'étendit, comme le dernier des siens, au milieu des champs, sur un amas de cosses de pois.

À peine commençait-il à fermer les yeux, qu'il fut réveillé par lord Georges Murray, qui venait lui annoncer la découverte d'un passage beaucoup plus sûr et plus court que celui dont on était convenu dans le conseil de guerre. C'était M. Anderson de Whitburgh, propriétaire du marais, qui venait indiquer ce passage. M. Anderson était du nombre des whigs ralliés, et qui, comme James Hepburn, s'étaient déclarés pour le prince depuis son entrée à Édimbourg. On réunit de nouveau le conseil. M. Anderson exposa son plan au prince et aux autres chefs, promettant de guider lui-même l'armée, sans que l'ennemi pût le voir passer, ni troubler sa marche par le feu de sa mousqueterie ou de son artillerie.

Cette proposition fut accueillie avec une joie unanime, et, sur l'ordre du prince, chaque chef se hâta d'aller ranger ses soldats avec le moins de bruit possible, et à trois heures du matin les Highlanders commencèrent à défiler en silence.

L'armée quitta sa position par un mouvement à droite, et entra bientôt dans le sentier à travers le marécage, marchant toujours dans le plus profond silence, et cependant avec une grande rapidité. La nuit d'abord et plus tard le brouillard favorisèrent le secret de leur marche. Quand la tête de la colonne, approcha de la terre ferme, quelques dragons en vedettes crièrent *qui vive?* firent feu, et allèrent donner l'alarme. Charles-Édouard s'élança un des premiers hors du marécage ; le reste de l'armée suivit promptement l'avant-garde, et chaque corps se hâta de prendre son rang de bataille, car on entendait les tambours anglais qui battaient la générale.

L'armée du prince fut rangée sur deux lignes partant du marécage et s'étendant vers la mer. La première ligne était formée à droite par les Macdonalds, commandés par le duc de Perth ; la gauche, commandée par lord Georges Murray, était composée des Camerons et des Appin Stuart ; au centre étaient réunis les régiments du duc de Perth et des MacGregors. La seconde ligne, destinée à agir comme réserve, était composée à droite des hommes du clan d'Athole[6] et des Robertsons ; à gauche, des MacLachlares et des Macdonalds de Glencoe. Le prince était entre les deux lignes, entouré du petit nombre de cavaliers qu'il avait sous ses ordres. Il n'avait point d'artillerie, excepté un vieux canon incapable de servir, et dont le prince ne voulait pas d'abord embarrasser sa marche ; mais il dut céder aux observations des chefs de clans, qui le prièrent avec instance de l'emmener, parce que leurs montagnards attachaient une importance superstitieuse à la possession de cette pièce, et qu'ils la regardaient comme un présage assuré de la victoire. Elle fut donc confiée à deux ou trois artilleurs français, et traînée par des poneys des montagnes ; mais on ne la chargeait qu'à poudre et pour donner des signaux, ou pour tirer en signe de réjouissance[7].

---

[6] *Atholl.*

[7] *Cette pièce, qui se nommait* Mons Meg, *rappelle la fameuse Marie-Jeanne, que les Vendéens regardaient aussi comme un gage de la victoire. Ce n'est pas, comme on a pu déjà le voir et comme on pourra l'observer encore, le seul trait de ressemblance que cette guerre présente avec celle de la Vendée ; seulement, les Écossais tiennent plus que nous à leurs vieux souvenirs. Qui sait ce qu'est devenue la Marie-Jeanne ? Quant à la* Mons Meg, *après la défaite de Culloden, elle fut transportée comme un trophée à la Tour de Londres. Lorsque le roi George IV visita Édimbourg en 1822, sir Walter Scott lui demanda comme une faveur la restauration de Mons Meg au château d'Édimbourg. George IV y consentit ; mais le retour de la vieille pièce n'eut lieu qu'en 1828, sous le ministère de lord Wellington. On peut la voir aujourd'hui figurer parmi les objets curieux d'antiquités nationales que l'on conserve dans ce château.*

Sir John Cope rangea son armée en une seule ligne de bataille, ayant à sa gauche le régiment dit de Murray et celui des Lees à sa droite ; dix à douze compagnies d'infanterie de divers régiments et quelques volontaires formaient le centre. Deux régiments de dragons flanquaient les deux ailes de l'infanterie anglaise. Sur la droite était placée l'artillerie, consistant en six pièces de canon assez mal servies.

À peine l'armée de Charles-Édouard fut-elle rangée en bataille, qu'il donna l'ordre d'attaquer. Aussitôt les montagnards se dépouillèrent de leurs plaids et préparèrent leurs armes ; il se fit un silence imposant d'environ trois minutes, pendant lequel, se découvrant la tête, les uns s'agenouillèrent, les autres levèrent les yeux au ciel, pour prononcer une courte prière. Enfonçant alors leurs bonnets sur leurs fronts, ils se mirent à marcher en avant, au son des pibrocs, joués par leurs cornemuses. Chaque clan formait une colonne séparée. À mesure qu'ils avançaient, ils doublaient le pas, et le murmure de leurs voix réunies se changea bientôt en une immense et sauvage clameur. Parvenus à la portée du mousquet, ils firent une décharge de leurs fusils, tirèrent leurs claymores du fourreau, et tenant leurs *dirks* (espèce de poignards) de la main gauche, ramenés à la hauteur du visage pour se couvrir de leurs petits boucliers, ils fondirent, selon leur coutume, sur l'ennemi à travers la fumée de la mousqueterie et du canon. Le premier rang des Anglais reçut le choc de pied ferme et la baïonnette croisée ; mais les montagnards, fléchissant un genou et relevant les fusils des soldats avec leurs dirks, les égorgeaient sans défense ; puis, rejetant les cadavres sur le second rang, continuaient le carnage dans une lutte terrible corps à corps.

Cependant la cavalerie, qui avait reçu l'ordre de charger les montagnards qui s'avançaient de son côté, n'attendit pas leur choc ; saisie d'une terreur panique, elle s'enfuit à toute bride. Les artilleurs, abandonnés par la cavalerie qui devaient les soutenir, s'enfuirent après avoir déchargé leurs pièces, dont les montagnards s'emparèrent aussitôt. La résistance fut plus sérieuse au centre de la bataille, non loin de Charles-Édouard ; la mêlée fut terrible pendant quelques minutes ; l'infanterie anglaise, formée dans les guerres de Flandre, disputa courageusement le terrain ; mais ses lignes, trop étendues, furent enfoncées et rompues sur plusieurs points par les masses serrées des clans ; et dans le combat corps à corps qui s'ensuivit, la nature des armes des montagnards, leur force extraordinaire et leur agilité, leur donnaient une supériorité décidée sur des hommes accoutumés à trop compter sur l'ordre et la discipline, et qui sentaient que cet ordre était rompu et que la discipline leur devenait inutile. Ce fut dans cette mêlée que périt le colonel Gardiner, commandant de l'un des régiments de dragons qui avaient pris la fuite dès le commencement de l'action. Il avait résolu de ne pas survivre à la honte que la lâcheté de ses soldats faisait rejaillir sur lui. Voyant un détachement d'infanterie qui, après avoir perdu tous ses chefs, se défendait encore vaillamment, il courut se mettre à sa tête; mais en arrivant il fut tué par une de ces terribles faux du Lochaber, maniée par la main d'un MacGregor.

Le combat n'avait pas duré plus d'une demi-heure, et, à part quelques exceptions, la panique des Anglais dans cette affaire avait été générale; à peine en serait-il échappé quelques-uns si Charles-Édouard avait eu de la cavalerie, et si les montagnards, selon leur usage, ne s'étaient arrêtés à dépouiller les morts au lieu de poursuivre les fuyards.

Sir John Cope s'était laissé entraîner comme les autres, et n'avait pas eu le courage d'imiter le colonel Gardiner. Le sentier dans lequel il tourna bride a conservé le souvenir de sa honte, et porte encore le nom de *Chemin de John Cope*. Lorsque ce général arriva à Berwick, lord Kerr lui fit ce compliment ironique, souvent répété: «Sir John, vous êtes le premier général de l'Europe qui ait apporté la nouvelle de sa défaite.»

Cependant des cris bruyants de triomphe poussés par les montagnards retentissaient sur toute la plaine. La bataille était finie et le sort avait prononcé; les bagages, l'artillerie, tous les approvisionnements de l'armée anglaise restaient au pouvoir des vainqueurs. Jamais victoire ne fut plus complète. Les étendards anglais furent déposés en triomphe aux pieds de Charles-Édouard, et, ce qui était plus utile, sinon plus glorieux, on lui apporta la caisse militaire de sir John Cope, contenant quatre mille livres sterling. Du reste, ces trophées et ces dépouilles lui étaient bien dus; car il avait noblement payé de sa personne pendant l'action. Il ne se fit pas moins remarquer par sa modestie et sa modération après le combat. Il embrassa cordialement chaque chef de clan, et les remerciements qu'il leur adressa furent pour ces braves et loyaux serviteurs la plus douce des récompenses. Puis il s'occupa sans relâche d'accomplir un devoir que lui commandait l'humanité, de donner des soins aux blessé; il témoigna le même intérêt pour ceux des deux partis, et ses ennemis, forcés de louer son humanité en cette circonstance, ont voulu toutefois l'atténuer en l'attribuant à la politique. Nous verrons bientôt dans la lettre qu'il écrivit à son père de quel sentiment il était réellement animé.

Cette bataille, livrée le 21 septembre 1745, fut appelée de Gladsmuir[8] par Charles-Édouard ; mais elle est plus connue sous le nom de Prestonpans, que lui ont donné tous les historiens anglais et écossais. Les Highlanders ne perdirent dans cette journée que trente à quarante hommes, dont trois officiers ; quatre-vingts furent blessés. Les Anglais laissèrent sur le champ de bataille ou dans la retraite cinq cents morts et plus de mille prisonniers.

Les Highlanders se montrèrent ardents au pillage ; mais ils secondèrent aussi les procédés charitables du prince en prodiguant des soins aux blessés du parti opposé.

---

[8] *Un ancien livre de prophéties prédisait aux Écossais qu'ils remporteraient une victoire à Gladsmuir ; or cette plaine est située à plus d'un mille de celle de Prestonpans ; mais les Jacobites ne manquèrent pas d'appliquer à leur premier succès cette prédiction devenue populaire.*

Chapitre VI

Le jour même de la bataille de Prestonpans ou de Gladsmuir, Charles-Édouard écrivit à son père la lettre qu'on va lire. Elle nous semble l'expression franche des sentiments généreux qui animaient le prince, en même temps qu'elle nous transporte en quelque sorte au milieu de la lutte que la dynastie régnante cherchait à établir entre elle et les Stuart sur le terrain des vieilles querelles religieuses. Charles-Édouard considère les évêques anglicans comme ses plus ardents ennemis, et ne se trompe pas. Ce qu'il dit des progrès de l'athéisme et du peu de foi des protestants d'Angleterre n'a rien d'exagéré. Qu'on se rappelle l'époque, et de quelle source était venu cet esprit philosophique du XVIIIe siècle qui commençait à envahir la société française. La dernière phrase sur les blessés répond aux calomnies de ses ennemis, qui prétendaient que son humanité n'était que de la politique. De telles pensées, quand elles ne partent pas réellement du cœur, ne s'expriment pas avec cette noble simplicité dans une lettre confidentielle et qui n'est point destinée à la publicité.

«Pinky House, près d'Édimbourg, 21 septembre 1745.
«Sire,

«Depuis ma dernière, datée de Perth, Dieu a daigné accorder aux armes de Votre Majesté un succès qui a dépassé mes espérances. Le 17, nous entrâmes à Édimbourg l'épée à la main, et prîmes possession de la ville sans être obligés de répandre une goutte de sang ou d'employer aucune violence. Ce matin j'ai remporté une victoire signalée avec peu ou point de perte. Si j'avais eu un ou deux escadrons de cavalerie pour poursuivre les ennemis, pas un seûl n'eut échappé. Dans l'état des choses, à peine s'il leur reste quelques dragons qui, par une fuite précipitée, se seront, je crois, jetés dans Berwick.

«Si j'avais obtenu cette victoire sur des étrangers, ma joie eût été complète; mais l'idée que c'est sur des Anglais y a mêlé plus d'amertume que je n'imaginais. Les hommes que j'ai vaincus étaient les ennemis de Votre Majesté, sans doute; mais ils auraient pu devenir vos amis et vos loyaux sujets, lorsqu'ils auraient ouvert les yeux et vu le véritable intérêt de leur pays, que vous voulez sauver et non détruire. C'est à cause de cela que j'ai défendu toute réjouissance publique. Je n'entrerai dans aucun détail de la bataille, préférant que Votre Majesté les connaisse d'après les rapports d'un autre plutôt que par les miens. Je vous envoie la présente par Stewart, en qui vous pouvez avoir toute confiance. C'est un homme probe et fidèle, parfaitement instruit de tout ce qui a eu lieu jusqu'à ce jour. Je le regretterai, mais j'espère être bientôt dédommagé de cette perte par son prompt retour, avec les plus agréables nouvelles que je puisse recevoir, je veux dire celles de la santé de Votre Majesté et de mon cher frère.

«Je vous ai envoyé deux ou trois gazettes pleines des adresses et des mandements des évêques (anglicans) au clergé. Ces adresses sont telles que je les attendais, et ne peuvent en imposer qu'aux faibles et aux crédules. Les mandements sont de la même force, mais plus artificieusement composés. Les évêques ordonnent à leur clergé de faire sentir aux peuples les grands bienfaits dont ils jouissent sous les princes de la famille qui les gouverne actuellement. Ils leur disent d'appuyer sur la scrupuleuse administration de la justice, sur le saint respect des lois, sur la sécurité de leur religion, de leur liberté, de leur propriété. Ce sont là de grands mots qui peuvent en imposer aux esprits irréfléchis; mais celui qui lit avec attention découvre aisément l'imposture. Quel besoin a un prince de troubler le cours ordinaire de la justice quand il a eu le secret de corrompre la source des lois? N'est-ce pas risquer même de donner l'alarme? N'est-ce pas dire qu'il n'est pas venu pour les protéger comme il le prétend, mais réellement pour les trahir? «Quand ils parlent de la sécurité de leur religion, ils ont bien soin de ne pas dire un mot des progrès effrayants que l'athéisme et l'impiété ont faits depuis quelques années. Si j'en crois des hommes de sens, ces progrès sont tels, que plusieurs de leurs personnages les plus importants auraient honte de s'avouer chrétiens, et que beaucoup d'autres, d'un rang moins élevé, agissent comme s'ils ne l'étaient pas. En conversant sur ce triste sujet, j'en suis venu à reconnaître ce que je n'avais pu jusqu'ici comprendre, que ceux-là qui crient le plus haut contre le papisme et le danger de la religion catholique ne sont pas réellement des protestants, mais une bande d'hommes dissolus, doués de talents, ayant de l'instruction, mais vides de tout principe, et se prétendant républicains.

«Je demandais à ceux qui me disaient cela ce qui pouvait rendre ces hommes si jaloux de conserver la religion protestante, puisqu'ils ne sont pas chrétiens. On me répondit que c'est pour se recommander au ministère, qui (s'ils écrivent pour lui ou s'ils se font nommer membres du parlement) ne manquera pas de les pourvoir amplement. Le motif de ce zèle extraordinaire est qu'ils se procurent par là pour le moins la connivence, sinon la protection du gouvernement, pendant qu'ils propagent leur impiété et leur athéisme.

«J'espère, grâce à Dieu, que le christianisme n'est pas tombé aussi bas dans ce pays que me le représentent les rapports qui me sont faits. Cependant, si je compare ce que j'ai souvent vu et entendu à Rome avec ce que j'ai observé depuis, j'ai peur qu'il n'y ait que trop de vrai dans ces rapports.

«Les évêques sont aussi partiaux et peu sincères en parlant de la sécurité de la propriété que de celle de la religion; car ils ne disent pas un mot de cet énorme fardeau de la dette toujours croissante sous laquelle gémit la nation, et qui ne peut être payée (si on a intention de la payer jamais) qu'aux dépens des propriétés. Il est vrai que toute cette dette n'a pas été contractée sous les princes de cette famille, mais bien la plus grande partie; et le tout aurait pu être acquitté par une administration économe pendant ces trente dernières années de paix profonde, n'eussent été les immenses sommes qui ont été prodiguées pour corrompre les parlement et pour soutenir des intérêts étrangers, au détriment des trois royaumes[1].

«C'est trop parler à Votre Majesté, j'en a peur, de ces tristes mandements; mais en ayant fait mention, j'ai voulu vous en donner mon opinion. Je me rappelle que le docteur Wagstaff (avec qui je regrette de ne m'être pas entretenu plus fréquemment, car il me disait toujours la vérité) me disait un jour que je ne devais pas juger le clergé de l'Église d'Angleterre d'après les évêques, qui ne parviennent pas à l'épiscopat par leur savoir ou leur piété, mais par d'autres talents, comme d'écrire des pamphlets, d'être actifs aux élections, et de voter au parlement sous la direction du ministère. Quand j'aurai gagné une

---

[1] *Allusion aux frais énormes qu'avaient entraînés les guerres d'Allemagne pour soutenir les intérêts de la famille de Brunswick en ses qualités de princes allemands et d'électeurs de Hanovre.*

autre bataille, ils écriront pour moi, et se chargeront de répondre à leurs propres lettres.

«Il est une autre classe dans laquelle, comme dans celle du clergé (anglican), je suis porté à croire que les moins élevés en rang sont les plus honnêtes : je veux parler de l'armée, car jamais on ne vit plus belles troupes que celles que j'ai combattues ce matin ; cependant elles ne se sont pas montrées aussi braves que je l'aurais cru. Je pense avoir entrevu que les simples soldats n'aimaient pas le parti qu'ils avaient adopté. S'ils avaient eu à combattre des Français venus pour envahir leur pays, je suis persuadé qu'ils se seraient mieux défendus. La solde de ces pauvres gens, et l'avenir qui les attend, ne suffisent pas pour corrompre leur instinct de justice et d'honnêteté. Il n'en est pas de même de leurs officiers, qui, excités par leur propre ambition et leurs fausses notions sur l'honneur, se sont battus avec acharnement. J'ai demandé à l'un d'eux, qui est mon prisonnier, un vrai brave, pourquoi il portait les armes contre son prince légitime, lorsqu'il vient pour délivrer son pays d'un joug étranger. Il m'a répondu qu'étant homme d'honneur, il se montrerait fidèle au prince dont il mangeait le pain, et par qui sa commission d'officier était signée. Je lui dis que c'était là un noble principe, mais mal appliqué ; et je lui demandai s'il n'était pas un whig. Il me répondit affirmativement. «Eh bien ! alors, ai-je ajouté, comment pouvez-vous regarder votre commission et le pain que vous mangez comme étant la commission et le pain du prince plutôt que du pays qui vous paie pour le servir et le défendre contre les étrangers ? Car j'ai entendu dire que tels étaient les vrais principes des whigs. Ignorez-vous comment vos compatriotes ont été transportés en pays étranger pour y être insultés, maltraités par les défenseurs de la foi protestante[2], et égorgés dans une querelle où l'Angleterre est si peu intéressée, et qui ne tend qu'à l'agrandissement de l'électorat de Hanovre ?» À cela il n'a rien répondu, mais il a baissé la tête d'un air sombre.

«La vérité est qu'ils ont peu de bons officiers. Ils sont braves parce qu'ils ne peuvent s'empêcher de l'être ; mais généralement ils connaissent peu leur métier, sont corrompus dans leur moral, et ne sont guère retenus

---

[2] *Dans la guerre occasionnée par la succession de l'empereur Charles VI, les princes protestants d'Allemagne étaient ligués contre Marie-Thérèse, princesse catholique, que défendait Georges II, prince protestant. Par une anomalie bizarre, Louis XV, roi catholique, était ligué avec les princes protestants, et l'on prétend qu'une des causes qui l'empêchèrent de soutenir Charles-Édouard, ce fut la crainte de mécontenter ses alliés, qui lui reprochaient de vouloir faire monter un prince catholique sur le trône d'Angleterre.*

par le frein de leur religion, quoiqu'ils prétendent faire croire qu'ils combattent pour elle. Quant à leur bonheur, dont ils parlent tant, j'aurai bientôt l'occasion de l'éprouver; car, n'ayant pas de place forte pour mettre mes prisonniers, je serai obligé de les relâcher sur parole. S'ils ne la tiennent pas, je ne leur souhaite pas de retomber dans mes mains; il ne serait plus en mon pouvoir de les sauver du ressentiment de mes Highlanders, qui les immoleraient de sang-froid; ce qui me désolerait, car je n'aime pas la vengeance. Mon superbe ennemi regarde comme au-dessous de lui, je le suppose, de régler un cartel[3]. Si je le désire, c'est autant pour ses partisans que pour les miens. J'espère avant peu le forcer de s'estimer heureux que je le lui accorde.

«J'apprends que six mille hommes de troupes hollandaises sont arrivés, et qu'on fait venir dix bataillons anglais; je voudrais qu'ils fussent tous hollandais, afin de ne pas avoir la douleur de verser le sang anglais. J'espère que j'obligerai bientôt l'électeur de faire venir le reste, ce qui, à tout événement, sera un service rendu à l'Angleterre, en la faisant renoncer à une guerre étrangère ruineuse pour elle.

«Malheureusement la victoire apporte des embarras que je ne connaissais pas encore. Je suis chargé d'avoir soin de mes amis et de mes ennemis. Ceux qui devraient ensevelir les morts se sont enfuis, comme si cela ne les regardait pas. Mes Highlanders croient au-dessous d'eux de le faire, et les paysans se sont retirés. Cependant je suis résolu à voir si en payant je puis avoir des hommes qui se chargent de ces tristes fonctions, car je ne saurais supporter l'idée de laisser pourrir des Anglais sur la terre.

«Je suis très embarrassé encore sur ce que je dois faire de mes prisonniers blessés. Si je fais un hôpital de l'église presbytérienne ou protestante, on se récriera sur cette grande profanation, et l'on répétera que je manque à mon manifeste, par lequel je m'étais engagé à ne violer aucune propriété. Si les magistrats voulaient s'en mêler, ils m'aideraient à sortir de cette longue difficulté. Advienne ce que pourra, je suis décidé à ne pas laisser les pauvres blessés dans la rue; si je ne puis mieux faire, je convertirai le palais en hôpital, pour le leur abandonner. Je suis si absorbé par toutes ces choses et le soin que je dois avoir de mes troupes, qu'il ne me reste que le temps d'ajouter que je suis le très dévoué fils de Votre Majesté,

«CHARLES, P. R.»

[3] *On nomme ainsi le traité que font entre elles des parties belligérantes pour régler l'échange des prisonniers.*

Non, ce n'était pas dans l'intérêt de leur religion que les prélats anglicans cherchaient à soulever les esprits contre les prétentions des Stuart ; c'était dans leur intérêt personnel, et pour ne pas perdre les immenses revenus du clergé catholique qu'ils s'étaient appropriés au temps de la prétendue réforme, et qui nécessairement leur auraient échappé si les peuples, ouvrant les yeux à la vérité, étaient rentrés dans le sein de l'Église catholique, tout en se replaçant sous le sceptre de l'autorité légitime.

Ce n'était pas seulement par des adresses et des mandements que le clergé anglican cherchait à combattre l'influence du prince Charles-Édouard : les pamphlets les plus injurieux, les imputations les plus absurdes et les plus calomnieuses étaient répandus avec profusion pour rendre sa personne odieuse. «On fit imprimer, dit Voltaire, un journal imaginaire, dans lequel on comparait les événements rapportés dans les gazettes, sous le gouvernement du roi Georges, à ceux qu'on supposait sous la domination d'un prince catholique.

«À présent, disait-on, nos gazettes nous apprennent, tantôt qu'on a porté à la banque les trésors enlevés aux vaisseaux français et espagnols, tantôt que nous avons rasé Porto-Bello, tantôt que nous avons pris Louisbourg et que nous sommes maîtres du commerce. Voici ce que nos gazettes diront sous la domination du prétendant : «Aujourd'hui, il a été proclamé dans les marchés de Londres par des montagnards et par des moines. Plusieurs maisons ont été brûlées et plusieurs citoyens massacrés. Le 4, la maison du Sud et la maison des Indes ont été changées en couvents. Le 20, on a mis en prison six membres du parlernent. Le 26, on a cédé trois ports d'Angleterre aux Français. Le 28, la loi d'*habeas corpus* a été abolie, et on a passé un nouvel acte pour brûler les hérétiques. Le 29, le père *Poignardini*, jésuite italien, a été nominé garde du sceau privé, etc, etc.»

De pareilles inepties ne pouvaient guère trouver créance que dans la classe la plus ignorante du peuple, car les classes élevées connaissaient la valeur de ces jongleries ; elles n'étaient guère touchées des intérêts d'une religion pour laquelle elles n'avaient que de l'indifférence ; mais ce qui les touchait par-dessus tout, c'étaient leurs intérêts matériels ; et, pourvu que ces intérêts fussent garantis, elles étaient prêtes à crier vive le roi Jacques, ou vive le roi Georges, selon que l'un ou l'autre leur offrirait plus de sécurité.

Chapitre VII

Quoique Charles-Édouard eût proscrit les réjouissances publiques pour sa victoire de Prestonpans, il ne put refuser à ses montagnards de faire le dimanche 22, lendemain de la bataille, une entrée solennelle dans Édimbourg. L'armée était précédée de nombreux joueurs de cornemuse, répétant les vieux airs jacobites. Puis venaient les clans en longues colonnes, faisant flotter, avec leurs bannières victorieuses, les étendards des vaincus. À l'arrière-garde marchaient, entourés d'une forte escorte, les prisonniers, presque aussi nombreux que l'armée elle-même ; et derrière eux venaient les bagages, les canons et les munitions du général Cope.

Charles-Édouard, par un sentiment des convenances facile à concevoir, ne voulut point paraître à ce spectacle, et ne rentra que le soir dans le palais d'Holyood. Il s'était fait précéder de plusieurs édits, dont un proclamait une amnistie générale de tout ce qui s'était fait contre la maison des Stuart depuis 1688. Le même jour, il adressa à tous les magistrats des villes d'Écosse l'ordre de se rendre à Édimbourg pour y verser le montant des contributions annuelles, et à tous les collecteurs et contrôleurs des taxes, d'apporter à Holyrood, sous peine de haute trahison, leurs registres et leurs caisses. Mais la plupart des magistrats et des agents du gouvernerment se retirèrent en Angleterre, ou se cachèrent, pour ne pas obéir à cette injonction. Charles-Édouard fit pourvoir à leur remplacement par des hommes dévoués à sa cause, et au moyen de ce renouvellement de l'administration, son gouvernement se trouva paisiblement établi dans toute l'Écosse ; car la victoire de Prestonpans avait occasionné une révolution morale qui semblait avoir anéanti tous les partis opposés, pour ne plus laisser subsister que le grand parti national, rallié sous les étendards de la légitimité. Charles-Édouard n'est plus, comme il l'était la veille encore pour quelques whigs exaltés, *un aventurier[1] téméraire*, mais un héros qui a su conquérir la sympathie du plus grand nombre et l'estime de tous. En un mot, il semblait que la victoire de Prestonpans eût électrisé toute l'Écosse et réveillé l'énergie des temps héroïques Le prince y fut trompé, et qui ne l'eût pas été à sa place ?

Charles-Édouard, se croyant sûr de l'Écosse, portait déjà ses vues sur l'Angleterre. Dès le lendemain de son retour à Holyrood, il fit part de son projet aux chefs réunis en conseil. Il leur communiqua la liste des nombreux partisans qu'il avait dans ce royaume, et qui étaient prêts à se ranger sous ses drapeaux triomphants. «Marchons, leur disait-il, marchons sans balancer, et nous arriverons à Londres aussi facilement qu'à Édimbourg. Ne donnons pas au gouvernement de l'usurpateur le temps de se reconnaître, et nous serons dans le palais de Saint-James avant que les troupes rappelées de Flandre soient arrivées en vue des côtes d'Angleterre.»

Quelques chefs applaudirent à cette résolution ; mais le plus grand nombre la trouva téméraire. Pénétrer en Angleterre avec une poignée d'hommes, c'était, disait-on, risquer de décourager les jacobites anglais. Il était beaucoup plus sage d'attendre les renforts qui devaient venir de divers points de l'Écosse, et probablement de France, où Son Altesse venait d'envoyer un ambassadeur[2] porter à Louis XV la nouvelle de ses succès. La majorité du conseil se rangea de cet avis ; Charles-Édouard fut forcé lui-même de composer avec son impatiente bravoure, et d'attendre, pour marcher sur Londres, que son armée eût reçu tous les renforts que la victoire et l'enthousiasme général semblaient lui donner le droit d'espérer. Ce temps fut employé à organiser l'armée et à l'exercer au combat. Chaque jour le prince visitait le camp de ses Highlanders, établi dans la plaine de Duddingston, à deux milles d'Édimbourg ; il s'informait de leurs besoins, écoutait leurs plaintes et leurs réclamations, et causait familièrement avec eux dans leur langue, qu'il avait apprise uniquement pour leur plaire.

---

[1] The adventurer, *c'est ainsi que les partisans de la maison de Hanovre désignaient ordinairement Charles-Édouard.*
[2] *Sir James Stuart, comme nous le verrons plus loin.*

Les occupations sérieuses auxquelles Charles-Édouard consacrait presque tout son temps ne l'empêchèrent pas de donner des fêtes et des bals dans le château d'Holyrood. Toutefois, quoiqu'il montrât dans ces réunions une affabilité qui achevait de lui gagner tous les cœurs on voyait bien que ce n'était pas l'attrait du plaisir, mais bien les nécessités de la politique, qui l'avaient engagé à réunir dans les salons d'Holyrood les représentants de la noblesse des Highlands et des Lowlands avec ceux de la bourgeoisie d'Édimbourg. Plusieurs femmes des chefs montagnards assistaient à ces réunions ; les nobles ladies des basses terres et les bourgeoises de la ville n'y étaient pas moins assidues. Le prince avait à ménager à la fois les susceptibilités de l'amour-propre individuel et les rivalités collectives, et il y réussit admirablement en distribuant ses prévenances avec cet art, si difficile pour les princes, de paraître impartial en flattant tour à tour les prétentions les plus opposées. Le succès qu'il obtint en ce genre est resté dans la mémoire des habitants d'Édimbourg, et, après plus d'un siècle, les soirées d'Holyrood sont encore citées pour l'affabilité et le sentiment exquis des convenances que sut y déployer le héros de ces fêtes.

Pendant qu'Édimbourg se livrait ainsi aux plaisirs, et que l'étendard des Stuart flottait sur tous les édifices publics et particuliers, la citadelle seule, sombre et menaçante, étalant sur ses créneaux le drapeau du roi Georges, semblait protester contre ces démonstrations joyeuses. Son gouverneur avait refusé de se rendre après plusieurs sommations. Charles-Édouard, ne voulant pas l'attaquer de vive force, ni tenter une escalade qui aurait occasionné une grande effusion de sang, et exposé la ville au feu des assiégés, résolut de bloquer étroitement la forteresse, et de la contraindre par la famine à capituler. Mais quand le gouverneur vit toutes ses communications interrompues, il menaça de bombarder la ville si on ne les rétablissait pas, et si on ne le laissait pas s'approvisionner comme d'habitude. Il appuya ses menaces de quelques boulets, qui balayèrent la longue rue de High Street, et jetèrent l'effroi dans le cœur de tous les habitants. Charles-Édouard ne put résister aux prières des bourgeois ; il déclara par une proclamation le blocus levé ; les hostilités cessèrent aussitôt, mais le drapeau anglais continua de flotter sur les murailles de la citadelle.

Les renforts que le prince attendait avec tant d'impatience commencèrent à arriver le 3 octobre. Ce fut d'abord un régiment de six cents hommes levés dans le Forfarshire par lord Ogilvie, fils aîné du comte d'Airly. Le 4 octobre, Gordon de Glenbucket arriva avec un corps de quatre cents hommes ; un autre Gordon, fils de lord Lewis Gordon, amena deux bataillons qu'il avait levés pour le prince légitime ; enfin le 9, lord Forbes de Pitsligo se présenta au camp avec six compagnies d'infanterie et un escadron de cavalerie. Ces renforts provenaient des basses terres seulement, et précédaient de quelques jours ceux des montagnes, qu'il avait fallu plus de temps pour rassembler.

Une nouvelle d'une haute importance lui parvint en ce moment, et lui fit espérer de pouvoir bientôt accomplir son projet sur l'Angleterre : c'était l'arrivée d'un vaisseau français dans le port de Montrose portant un envoyé du roi Louis XV, quelques volontaires français et irlandais, des armes et des munitions, et avec eux l'espoir d'autres secours.

En même temps que Charles-Édouard écrivait à son père la lettre que nous avons transcrite ci-dessus, qu'il envoyait à Louis XV un messager, sir James Stuart, pour lui annoncer sa victoire de Prestonpans, et la soumission entière de l'Écosse, à l'exception de quelques citadelles, lord Clancarty, nouvel agent diplomatique des Stuart, d'accord avec le jeune duc de Bouillon, lord Sempill, mylord Maréchal et M. O'Brien pressaient l'exécution des promesses des ministres français. Ces messieurs faisaient remarquer avec justesse, au cabinet de Versailles, l'influence que les succès de Charles-Édouard avaient sur les affaires des Pays-Bas, en forçant le roi Georges à retirer les troupes de Flandre, et en favorisant ainsi la prise de Bruxelles par le maréchal de Saxe. Il ne fallait que peu d'efforts pour rendre ces avantages plus brillants encore, c'était d'aider d'une manière efficace le petit-fils de Jacques II à remonter sur son trône. C'eût été une politique digne de la France, et qui eût tourné tout ensemble à sa gloire et à son profit. Malheureusement la direction des affaires était alors abandonnée aux caprices d'un ministre d'un caractère insouciant et frivole, qui n'accorda qu'une attention secondaire aux événements qui se passaient dans la Grande-Bretagne. M. de Maurepas, homme superficiel et incapable d'une application sérieuse, voulut se donner des airs de prudence en attendant toujours le lendemain, et en consultant sans cesse sur la possibilité d'une descente. Enfin, après de longues tergiversations, n'osant pas frapper un coup décisif, il crut plus sage d'envoyer reconnaître l'état des affaires par un agent diplomatique, tandis qu'il ferait quelque bruit avec les préparatifs, ou plutôt avec la menace d'une invasion. Le fameux duc de Richelieu fut même désigné pour le général en chef de cette expédition, fort problématique ; et Voltaire, qui sollicitait alors la faveur des ministres pour se faire nommer historiographe de France, rédigea le manifeste du roi ou plutôt du duc de Richelieu. Ce document devait être publié au moment du débarquement des troupes françaises sur la côte d'Angleterre ; mais il n'a paru que dans les œuvres de son auteur[3] et dans la vie privée de Louis XV.

Le comte de Maurepas autorisa toutefois tous les Irlandais ou Écossais au service de France à partir pour l'Écosse. Plusieurs volontaires français obtinrent aussi l'agrément du ministre pour aller rejoindre le prince Charles-Édouard.

En attendant que l'expédition mît à la voile, le marquis d'Éguilles[4], accrédité auprès du *prince régent* des trois royaumes, se hâtait de se rendre à son poste. Il est curieux de lire les instructions secrètes données à cet agent diplomatique au moment de son départ ; elles font connaître toute la pensée du cabinet de Versailles.

Dans ces instructions, M de Maurepas calcule toutes les chances de succès qu'offrent à Charles-Édouard l'état des esprits en Écosse et en Angleterre, la jalousie du premier de ces deux royaumes contre l'autre depuis l'union, et l'enthousiasme excité par la présence du prince, etc. Il recommande à son envoyé d'examiner avec exactitude quelle est la situation actuelle du jeune prince, les ressources qu'il peut tirer de ceux qui se sont déclarés pour lui, afin d'être fixé, d'après ces renseignements, sur ce qu'il sera possible de faire en sa faveur puis il ajoute :

«L'intention de Sa Majesté est que le seigneur d'Éguilles parte sans délai pour se rendre en Écosse par les voies qui lui seront indiquées de sa part. Elle lui fait remettre une lettre qu'elle écrit au jeune prince Charles-Édouard pour l'accréditer auprès de lui ; *mais il faut absolument que sa commission soit tenue dans le plus grand secret, et qu'il n'y ait que ce jeune prince et la personne qui sera le plus dans son intimité qui ait connaissance de cette lettre*, qu'on ne puisse le croire chargé d'aucune commission de la part de Sa Majesté, et qu'il paraisse seulement comme un étranger n'ayant en vue que de s'attacher à la fortune d'un prince qui, en se livrant avec un courage héroïque à une entreprise aussi difficile, se montre de plus en plus digne du trône qui est l'héritage de ses ancêtres.»

---

[3] *On peut lire ce manifeste dans le 38ᵉ volume des œuvres de Voltaire édition Beuchot, p. 543.*
[4] *M. Boyer, marquis d'Éguilles, président à mortier du parlement d'Aix, était frère du marquis d'Argens.*

La pensée intime du comte de Maurepas dans ces instructions secrètes peut se résumer en ce peu de mots : « Le roi de France consent à secourir Charles-Édouard, s'il est sûr du succès ; mais, dans tous les cas, il veut se ménager le droit de nier ce secours. »

Muni de ces instructions, le marquis d'Éguilles partit de Dunkerque le 7 octobre sur un bâtiment chargé de poudre et d'armes, qui devait être suivi de près par deux autres avec de l'argent et des munitions. Parmi les volontaires qui l'accompagnaient étaient trois officiers réfugiés au service de France, le fils aîné de lord Strathalan, le neveu du gouverneur des princes, nommé Sheridan, et Brown, capitaine au régiment de Lally[5]. Après une traversée des plus orageuses, le bâtiment aborda enfin près de Montrose. Le marquis d'Éguilles débarqua aussitôt, et fit transporter une partie des armes et des munitions jusque sur la place de cette ville. Les habitants accourus au-devant des Français les accueillirent aux cris de « Vivent Jacques VIII et le prince régent » ! On distribua les armes aux hommes de bonne volonté, et les nouveaux débarqués se mirent en route avec eux pour Édimbourg, où ils arrivèrent le 15 octobre.

Voici en quels termes le marquis d'Éguilles rend compte de son entrevue avec le prince, dans une première lettre qu'il écrivit au ministre : « J'allai d'abord chez sir Sheridan, gouverneur du prince, à qui je dis que j'avais des dépêches pour Son Altesse Royale que j'étais chargé de lui rendre en secret. Il alla lui parler, et revint tout de suite m'introduire. Je ne saurais bien exprimer la joie du prince en lisant la lettre du roi et en écoutant ce que je lui disais de sa part. Il me répondit en substance qu'il était réservé à Louis XV de faire remonter sa maison sur le trône où toute la puissance de Louis le Grand n'avait pu la maintenir ; qu'il avait tout espéré de la magnanimité et de la bienveillance du premier prince du monde chrétien, qui devait se regarder comme protecteur né des princes malheureux. « C'est dans cette confiance, ajouta-t-il, que j'ai exposé les vies et les fortunes de tout ce qui me restait d'amis en Écosse. Je vais joindre ceux que j'ai en Angleterre. Je pars dans huit jours ; je marche droit à Londres ; si vos troupes descendent et obligent nos ennemis à une diversion, l'Angleterre est à nous dans deux mois ; mais si par malheur le débarquement si souhaité et si nécessaire n'avait pas

---

[5] D'origine irlandaise, Lally, général des armées françaises dans l'Inde, soutenait les droits des Stuarts au trône d'Angleterre. Accusé de trahison après la perte des Indes, il fut décapité en 1766 et réhabilité en 1786.

lieu ou se faisait trop tard, toutes les autres (diversions) deviendraient inutiles, puisqu'ils ne me trouveraient plus en Écosse ; et je serais perdu sans ressources, attendu que, ne pouvant renouveler assez tôt mon armée, qui s'affaiblira par la victoire même, il me serait impossible de résister aux efforts redoublés des Anglais rebelles, des Hanovriens, des Hollandais et des Hessois. Mais, monsieur le marquis, ne puis-je pas compter sur un débarquement prochain ? parlez-moi sincèrement. — Monseigneur, lui répondis-je, quand je partis de France, on n'avait pas une connaissance assez exacte de l'état des affaires pour pouvoir prendre un parti décidé ; on aurait craint d'agir à contretemps ; mais je crois pouvoir espérer, vu l'état où sont les choses, que l'on concourra aux vues de Votre Altesse Royale. Peut-être serait-il à propos d'attendre des réponses avant qu'elle se mît en marche, afin d'agir à coup sûr et de ne point s'engager. — Monseigneur, me répondit-il, mes ennemis se fortifient de jour en jour, et mes amis peuvent à chaque moment être découverts, perdus et hors d'état de me servir ; d'ailleurs, je crois devoir profiter de l'ardeur de mes troupes et du découragement de celles de l'électeur. Si le roi très chrétien a déjà donné des ordres pour le débarquement, mon père règne ; et quand même il n'en donnerait qu'en recevant vos dépêches, nous aurions encore du temps, car il m'est impossible de joindre mes ennemis avant un mois, à moins qu'ils ne viennent à ma rencontre, ce qu'ils ne peuvent faire qu'en abandonnant Londres à mes amis ou en se partageant, parti que je ne crois pas qu'ils prennent. »

« Voilà en substance la conversation que j'ai eue ce matin avec le prince Édouard. J'ai été voir l'armée après dîner : elle est campée à une demie lieue de la ville. J'y ai compté treize cent vingt et une tentes. Il y a sept hommes dans quelques-unes, ce qui doit faire près de huit mille hommes, à les évaluer à six par tente. Il en arrive outre cela après-demain quatorze cents, que j'ai rencontrés en chemin. Il y a dans ce nombre cinq cents chevaux montés par presque autant de gentilshommes. Il vient encore des îles du nord près de trois cents hommes, mais ils ne peuvent être ici avant trois semaines ; on ne les attend pas. Nous entrerons donc en Angleterre avec un peu moins de dix mille hommes effectifs, tous bien armés, sept pièces de canons et quatre mortiers. On peut attendre de grandes choses en pensant que, n'étant encore que trois mille hommes sans canons, sans cavalerie, sans discipline, sans expérience, sans généraux, presque sans officiers et sans premiers succès, les partisans de ce prince ont exterminé en moins d'un quart d'heure quatre mille hommes de troupes réglées qui avaient deux régiments de dragons, du canon et l'avantage du lieu. Il est constant qu'il ne s'est sauvé que soixante hommes de toute l'infanterie, et qu'il n'aurait pas échappé un seul dragon, si l'on avait eu seulement deux cents chevaux à faire courir après.»

Le prince s'empressa de remercier Louis XV du faible secours que lui avait amené le marquis d'Éguilles, tout en le suppliant de hâter le départ des nouvelles troupes qu'il lui annonçait, «parce que c'était, disait-il, le moment de frapper les grands coups.» Le marquis d'Éguilles qui, ainsi qu'on a pu déjà en juger par sa première lettre, avait embrassé avec chaleur la cause de Charles-Édouard, ne cessait d'écrire dans le même sens que lui. Le duc d'York, frère de Charles-Édouard, vint bientôt lui-même en France joindre ses instances à celles des agents de son père et de son frère. Retenu à Avignon par une maladie, il écrivit deux lettres très pressantes, l'une au roi, l'autre au ministre des affaires étrangères. On peut juger des dispositions de la cour de Versailles par la note ministérielle ci-jointe annexée à ces lettres, qui sont déposées aux archives des affaires étrangères :

«On estime qu'il convient de laisser ces deux lettres-ci sans réponse par écrit ; tout ce que le roi voudra dire et faire en faveur du prince Henri Stuart (le duc d'York) peut être transmis de bouche à la personne qui a transmis lesdites lettres. On ne saurait trop éviter de multiplier les écrits publics et particuliers portant indice, témoignage, marques ou preuves que le roi fait son affaire de l'entreprise de la maison de Stuart. Que la France la soutienne autant que l'on jugera convenable au bien du service de Sa Majesté, à la bonne heure ; mais que ce soit sans l'avouer, aussi longtemps que le succès n'en sera pas au moins probable, et aussi longtemps que l'on ne serait pas résolu à une guerre également longue et générale.»

Qu'il y a loin de cette politique étroite, indécise, égoïste, à celle de Louis XIV, qui n'hésite pas à mettre à la disposition de Jacques II ses armées et ses flottes, et qui ne l'abandonne pas même après le désastreux combat de la Hogue et l'anéantissement d'une partie de sa marine militaire !

Trois bâtiments portant les volontaires français, écossais et irlandais, à qui le ministre avait permis d'aller rejoindre Charles-Édouard, arrivèrent quelques jours après le marquis d'Éguilles. Parmi ces volontaires figurait lord Drummond, frère du duc de Perth, qui amenait avec lui quelques piquets de trois compagnies du régiment Royal-Écossais[6].

Quoique ces faibles renforts fussent loin d'être suffisants, Charles-Édouard ne voulut pas attendre davantage l'exécution de son projet sur l'Angleterre. Il regrettait amèrement de n'avoir pas suivi sa première idée, de marcher sur Londres immédiatement après sa victoire de Prestonpans ; car ces six semaines de délai n'avaient pas grossi son armée, comme on le lui avait fait espérer, et l'ennemi avait profité de ce temps pour augmenter ses forces.

Quand il annonça son intention au conseil, il rencontra encore les mêmes objections que la première fois. Le prince alors déclara qu'appelé par les jacobites d'Angleterre, il irait seul, s'il le fallait, se jeter dans leurs bras, comme il était venu se jeter dans ceux des Écossais. Lord Georges Murray se rangea enfin de l'avis du prince, et son opinion entraîna tout le conseil. On délibéra ensuite sur la route que prendrait l'armée, et après une longue discussion il fut décidé qu'on se dirigerait d'abord sur Carlisle.

Cette décision du conseil fut aussitôt communiquée à l'armée, qui l'accueillit avec les plus vifs transports de joie. Vers les derniers jours d'octobre, Charles-Édouard passa la revue du départ, et là il put reconnaître que son armée ne s'élevait guère qu'à sept mille hommes, savoir : trois mille deux cent soixante montagnards, deux mille six cent cinquante hommes des basses terres, trois cents cavaliers, et huit à neuf cents hommes venus de France et de différents détachements.

C'était avec une aussi faible armée que Charles-Édouard se préparait à se mesurer avec son ennemi, qu'il ne pouvait plus désormais espérer surprendre, et qui avait eu le temps de se préparer à la lutte. En effet, comme nous l'avons déjà vu, Georges II, alarmé des progrès du prétendant en Écosse, s'était hâté de faire venir en Angleterre ses meilleures troupes de Flandre, précédées de six mille Hollandais. Il avait divisé toutes ses forces en trois armées, dont l'une, commandée par le feld-maréchal Wade[7], se dirigeait sur Newcastle ; l'autre, sous les

---

[6] *Le régiment Royal-Écossais est créé en 1744. Il fait la campagne de Flandre de 1745, puis, le 26 novembre, il embarque pour l'Écosse. Les hommes débarquent à Montrose le 7 décembre et participent à toutes les batailles jusqu'à Culloden.*
[7] *C'est au major général Wade, commandant en chef des armées du nord de la Grande-Bretagne de 1724 et 1740, que le roi George Ier confia la mission de doter l'Écosse, et particulièrement les Highlands, d'un réseau de forts et de routes militaires.*

ordres du général Ligonier, était en marche pour le comté de Lancastre. Ce général fut bientôt remplacé par le duc de Cumberland, second fils de Georges ; le roi voulait lui faire réparer son échec de Fontenoy. Un troisième corps, sous le nom d'armée de réserve, fut formé dans les environs de Londres, et eut pour mission spéciale de couvrir la capitale.

Charles-Édouard n'ignorait rien de ces préparatifs ; mais ils n'eurent aucune influence sur sa résolution. Sans faire fond sur les secours de France, il comptait sur ceux qu'il recevrait de ses partisans quand une fois il serait entré en Angleterre, et surtout quand ses intentions seraient mieux connues du peuple, que le clergé anglican et les partisans de l'électeur de Hanovre avaient pris à tâche de tromper par les calomnies les plus absurdes répandues sur son compte. Pour tâcher de détruire ces impressions fâcheuses, il publia un manifeste dans lequel il garantissait la liberté civile et religieuse, le maintien des lois, et la protection pour toutes les religions reconnues en Angleterre. Ce manifeste précéda de quelques jours son départ, et fut répandu avec profusion sur toute la frontière d'Angleterre.

Chapitre VIII

Le jeudi 31 octobre, Charles-Édouard quitta dans la soirée le palais d'Holyrood pour aller coucher à Pinkie House (Musselburgh), et se trouver prêt à partir le lendemain matin avec son armée. On se mit en route le vendredi 1er novembre en marchant à petites journées. Le 4, Charles passa la Tweed, rivière qui sépare l'Écosse de l'Angleterre, et il entra dans ce royaume par la province de Cumberland, pays qu'il savait fort peu disposé en sa faveur ; aussi ne fut-il point surpris de n'y pas recevoir l'accueil chaleureux qui l'avait accompagné presque dans toute l'Écosse.

La première place importante qu'il rencontra fut Carlisle, capitale du comté, autrefois le boulevard de l'Angleterre du côté de la frontière de l'ouest. Les fortifications de cette ville avaient été négligées depuis longtemps, et sa vieille citadelle, non plus que ses remparts, n'étaient guère en état de soutenir un siège régulier. Cependant, lorsque le prince la fit sommer de se rendre, le maire et le gouverneur, qui comptaient sur l'arrivée prochaine du feld-maréchal de Wade répondirent par un refus.

On se prépara alors à faire un siège en règle ; la tranchée fut ouverte ; six pièces de canon amenées de France dans les navires venus après le marquis d'Éguilles, furent mises en batterie. Au moment d'ouvrir le feu, on voulut tenter une seconde sommation. Celle-ci fut mieux accueillie que la première. Le drapeau blanc fut arboré sur les remparts, et l'on demanda à capituler. Le prince, pour éviter les mêmes embarras que lui avait occasionnés la citadelle d'Édimbourg, exigea que le château se rendît avec la ville, et que la garnison se reconnût prisonnière de guerre, toutefois en restant libre, sous la condition de ne pas porter les armes contre les Stuart. Ces clauses furent acceptées, et, le 15 novembre, les clefs de la ville furent remises à Charles-Édouard. L'artillerie de la place, les munitions, les fusils appartenant à la garnison et deux cents chevaux, tombèrent au pouvoir des vainqueurs.

Le feld-maréchal Wade apprit à Hexam la reddition de Carlisle ; au lieu de marcher sur cette place pour chercher à la reprendre ou pour attaquer l'armée du prince, il revint pacifiquement sur ses pas, sans s'inquiéter des soupçons que pourrait faire naître une conduite aussi inexplicable.

Ce premier et éclatant succès de Charles-Édouard dès son entrée en Angleterre, semblait ouvrir la campagne sous les plus heureux auspices. Malheureusement des germes de discorde qui commençaient à éclore parmi les chefs de l'armée du prince, tendaient à détruire les effets que devait produire ce glorieux début. On s'aperçut, lors de la revue générale passée à Carlisle, que plusieurs chefs montagnards dont les avis n'avaient pas été écoutés quand la question de marcher en avant avait été soumise au conseil, avaient abandonné l'armée, emmenant avec eux plus de mille soldats : ils ne se regardaient pas comme déserteurs, mais ils ne voulaient, disaient-ils, combattre que pour l'indépendance de l'Écosse et les affaires de l'Angleterre ne les regardaient pas ; aussi la plupart rejoignirent-ils l'étendard du prince quand il reparut plus tard sur le sol natal.

D'un autre côté, quelque impartialité qu'eût montrée Charles-Édouard dans la distribution des grades, il n'avait pu éviter de faire des mécontents. Plusieurs de ceux qui se croyaient lésés par d'injustes préférences manifestaient hautement leur mauvaise humeur ; quelques-uns même avaient lâchement déserté, et, entraînés par un mobile moins honorable que celui des montagnards dont nous parlions tout à l'heure, ils ne revinrent jamais. Enfin, la jalousie éclata entre deux des principaux chefs, le duc de Perth et lord Georges Murray, au point que l'un et l'autre donnèrent leur démission. Le prince n'accepta que celle du duc, et continua à lord Georges les fonctions de lieutenant général, à la grande satisfaction de l'armée, qui avait une aveugle confiance en lui. Ainsi, le jeune Charles-Édouard commençait à peine, et même d'une manière bien précaire, à exercer l'autorité souveraine, que déjà il se voyait entouré des intrigues, des cabales et des tracasseries qui agitent les cours des souverains les plus solidement établis sur leurs trônes.

Quoiqu'on n'eût pas beaucoup compté sur la sympathie des habitants du Cumberland, l'armée les trouva encore plus hostiles qu'on ne s'y était attendu. Les paysans de cette contrée, et même en général de toute l'Angleterre, sont d'une crédulité proverbiale ; aussi, les partisans de la maison de Hanovre ne s'étaient pas contentés d'accuser les soldats du prince de papisme et de le signaler lui-même comme l'Antéchrist, ils avaient représenté les montagnards écossais comme des sauvages qui mangeaient les petits enfants, et dont les passe-temps étaient le vol, le pillage et l'incendie. Il fallut plusieurs jours et la discipline exacte que faisait observer le prince, pour faire revenir de ces préventions les habitants de Carlisle et des environs. Du reste, on y parvint si complètement que quelques gens du pays, en très petit nombre il est vrai, s'enrôlèrent sous les drapeaux de Charles-Édouard.

Le 19 novembre, le conseil fut réuni pour délibérer sur la direction à suivre en quittant Carlisle. Quelques chefs qui désapprouvaient l'expédition d'Angleterre tentèrent encore de faire prévaloir leur avis. Charles-Édouard, pour les combattre, montra les lettres des jacobites anglais, qui l'invitaient à continuer sa marche. Les seigneurs de la principauté de Galles annonçaient aussi qu'ils étaient prêts à le joindre avec des forces considérables. Lord Georges Murray parla après le prince. Il commença par présenter avec beaucoup de lucidité les avantages et les inconvénients des deux opinions, et finit par conclure en faveur de celle de Charles-Édouard. La majorité se rangea de son avis ; puis on délibéra si l'on irait attaquer le feld-maréchal Wade à Newcastle, ou si l'on se porterait directement sur Londres, quoique sur cette route on pût rencontrer l'armée de dix mille hommes commandée par le général Ligonier[1], ou plutôt par le duc de Cumberland, car ce prince, de retour de Flandre, venait de se mettre à la tête de cette armée. Ce dernier parti souriait davantage à l'impatience de Charles-Édouard, il fut adopté[2]. Avant de se mettre en route, le prince envoya des ordres à une armée de réserve qui se formait à Perth, sous le commandement de lord Strathallan, de venir le joindre au plus tôt. Malheureusement ces ordres ne furent pas exécutés avec la promptitude désirable.

[1] Le général Ligonier et duc de Cumberland avaient combattu ensemble en Flandre où ils venaient d'être vaincus par les Français à la bataille de Fontenoy (11 mai 1745).
[2] M. Amédée Pichot, Hist. du prince Charles-Édouard. t. II, p. 99.

On laissa à Carlisle une garnison peu nombreuse, et le 20 novembre la cavalerie partit de cette ville. Le lendemain, toute l'armée se mit en route. Le 24, elle arriva à Lancastre, et le 25 à Preston, où elle fit séjour. L'accueil qu'elle reçut dans cette dernière ville, et en général dans tout le comté de Lancastre, était bien différent de la réception qui lui avait été faite dans le Cumberland. C'était presque le même enthousiasme qu'en Écosse. Les cloches des églises sonnaient de joyeux carillons ; le peuple saluait Charles des plus chaleureuses acclamations. Cependant le nombre des recrues que fit l'armée jacobite dans cette ville fut loin d'être en proportion du zèle manifesté par les habitants.

De Preston, l'armée se dirigea sur Manchester, ville qui comptait alors quarante mille âmes, et qui en compte plus de quatre cent mille aujourd'hui. L'accueil fut encore plus chaleureux qu'à Preston, et l'entrée du prince eut tout l'éclat d'une pompe triomphale.

Le gouvernement anglais, craignant que de Manchester Charles-Édouard ne se portât dans le pays de Galles, avait fait détruire tous les ponts de la Mersey dans cette direction, pour embarrasser ou retarder sa marche. Charles-Édouard n'essaya pas de les rétablir, et jugea plus convenable de marcher directement sur Londres. Il partagea son armée en deux colonnes, qui prirent la route de la capitale, l'une par Knottsford, l'autre par Stockport ; puis ces deux colonnes se réunirent le 1er décembre à Macclesfield, comté de Chester.

De Macclesfield, l'armée, se divisant encore en deux corps, se dirigea sur Derby par Congleton et par Gasworth. Le 4 décembre, l'armée arriva Derby. En entrant dans cette ville, les montagnards, qui s'attendaient à se battre peut-être le lendemain avec l'armée du duc de Cumberland, se précipitèrent dans les boutiques des couteliers pour y faire aiguiser leurs bonnes claymores. Un détachement alla prendre position à six milles plus loin, pour s'emparer du pont de Swakstone.

On n'était plus qu'à quatre-vingt-dix milles (cent vingt kilomètres environ) de Londres, et cette distance pouvait être franchie en trois jours de marche. Aussi serait-il difficile de peindre l'alarme dont furent saisies en même temps et la cour et la ville à la nouvelle de l'approche de l'armée jacobite.

Jusqu'à la défaite de sir John Cope à Prestonpans, Georges II s'était peu inquiété de ce qu'on appelait, dans le langage officiel, « la perfide et dénaturée rébellion de l'Écosse (*unnatural rebellion*) » ; même après cet événement, ses courtisans étaient parvenus à le rassurer, en lui persuadant que l'*aventurier* n'oserait pas franchir les frontières d'Angleterre. Mais rien ne put calmer sa frayeur quand il apprit la reddition de Carlisle; pas même la présence de son fils, le duc de Cumberland, le seul de la famille qui fût réellement distingué par ses talents militaires. L'inquiétude et l'irrésolution du gouvernement se trahissaient par des mesures arbitraires et quelquefois ridicules. On exigea des milices de la ville de Londres un nouveau serment de fidélité, où on remarque le passage suivant: «J'abhorre, je déteste, je rejette comme un sentiment impie cette damnable doctrine, que des princes excommuniés par le pape peuvent être déposés et assassinés par leurs sujets ou quelque autre que ce soit, etc.».

«Mais il ne s'agissait, dit Voltaire, après avoir cité ce passage, ni d'excommunication ni du pape dans cette affaire; et quant à l'assassinat, on ne pouvait guère en craindre d'autre que celui qui avait été solennellement proposé au prix de trente mille livres sterling[3]. On ordonna, dit encore le même écrivain, selon l'usage pratiqué dans les temps de troubles depuis Guillaume III, à tous les prêtres catholiques de sortir de Londres et de son territoire... Quelques-uns même furent emprisonnés. Mais ce n'étaient pas les prêtres catholiques qui étaient dangereux, c'était la valeur du prince Édouard qui était réellement à redouter; c'était l'intrépidité d'une armée victorieuse animée par des succès inespérés.»[4] C'était surtout, ajouterons-nous, la justice de sa cause qui le rendait fort, car la conscience publique ne pouvait s'empêcher de reconnaître qu'il était armé pour recouvrer l'héritage dont la plus révoltante iniquité avait dépouillé sa famille.

Aussi la cour et ses adhérents tentèrent-ils vainement de faire de cette affaire une guerre de religion. En vain les protestants exaltés, les whigs de la cour, les gazetiers à gage et les prédicateurs anglicans et autres, s'évertuèrent-ils pour encourager la levée des milices de Londres et des comtés circonvoisins; ils ne parvinrent pas à remuer les masses. À part quelques corporations et quelques hommes isolés qui prirent les armes, tout le reste ne bougea pas, attendant avec indifférence l'issue des événements. Tel était en effet le résultat produit en Angleterre par les révolutions religieuses et politiques qui depuis plus d'un siècle avaient bouleversé ce malheureux pays. La foi religieuse et la foi politique y étaient mortes. Le protestantisme y avait dégénéré en athéisme, en déisme et en indifférence absolue en matière de religion;

---

[3] *Voltaire*, Siècle de Louis XV, *chap XIV.*
[4] *Id, ibid.*

la révolte contre l'autorité royale avait d'abord donné naissance à la république, puis au système représentatif, et enfin à une indifférence complète à l'égard de la personne du souverain. Ils étaient bien loin ces temps de foi et de loyauté chevaleresques où les barons anglais combattaient avec une égale ardeur pour leur Dieu et pour leur roi ! L'égoïsme, la satisfaction des intérêts matériels et l'esprit mercantile avaient remplacé ces vertus héroïques de leurs pères. La plupart des habitants de Londres et d'une partie de l'Angleterre étaient prêts à saluer n'importe quel drapeau, pourvu que ce changement ne dérangeât pas trop leurs habitudes et leurs spéculations commerciales. On aurait peine à croire à tant de dégradations, si elle n'était attestée par les écrivains les plus dignes de foi de cette époque. Henri Fox, alors membre de l'administration, écrivait à sir C. H. William : «Londres est ouvert au premier occupant, écossais ou hollandais.»

Le poète Gray, dans une lettre à Horace Walpole datée de Cambridge, s'exprime en ces termes : «Les gens du commun à Londres savent au moins avoir peur ; mais nous sommes ici des gens très peu communs, et nous ne nous soucions pas plus du danger que si la bataille dont il s'agit était la bataille de Cannes[5]. Quand on a appris que les Écossais étaient à Stamford et puis à Derby, j'ai entendu des gens sensés parler de louer une chaise de poste pour aller à Caxton (sur la grande route) afin de voir passer le prétendant et ses montagnards écossais.»

Voici comment *les gens du commun* à Londres *savaient avoir peur,* selon l'expression de Gray. «Dès que l'on connut l'arrivée des Écossais à Derby, la première pensée de la population commerçante de cette grande capitale se porta sur le danger du pillage de la part des montagnards, qu'on avait représentés comme des bandits. Il y eut une véritable consternation parmi les boutiquiers. Dans un numéro de son journal (*le Vrai Patriote*), Fielding dit que, «lorsque, par une marche incroyable, les jacobites se furent avancés entre le duc de Cumberland et la métropole, la terreur fut extrême.» La terreur est contagieuse : plusieurs habitants se réfugièrent à la campagne avec leurs effets les plus précieux ; presque tous les magasins furent fermés ; la banque se vit assiégée par les porteurs de ses billets qui en demandaient le paiement : c'était la banqueroute qui était à sa porte ; un stratagème sauva son crédit. Des agents postés à dessein entourèrent la caisse et reçurent,

---

[5] *Allusion à la bataille de Cannes (août 216 av. J.-C.) où le général carthaginois Hannibal écrasa l'armée romaine sur le territoire italien.*

en échange de leurs *bank-notes*, la somme à laquelle ils avaient droit en monnaie de cuivre, dont la double vérification fit gagner du temps. Les protestations de fidélité n'étaient plus si bruyantes ; le mot de *restauration* fut même murmuré tout bas dans le palais Saint-James. En vain l'étendard royal était arboré à Blackheath, les dés étaient tournés. Cet appel au courage anglais n'était pas plus entendu que celui que fit Jacques II en 1688[6]. »

«Le duc de Newcastle (le premier ministre de Georges II) resta, assure-t-on, enfermé toute la journée du 5 décembre, inaccessible dans son hôtel, incertain s'il n'était pas temps pour lui de se déclarer pour le prétendant. Quinze mille hommes étaient déjà partis, disaient quelques personnes, pour aller joindre le jeune héros. Le bruit courut que les Français avaient débarqué au nombre de dix mille. Le roi Georges fit tenir prêts ses yachts au quai de la Tour, y fit cacher ses trésors, et tout était disposé pour qu'à la première nouvelle Sa Majesté pût mettre à la voile pour la Hollande. La contrepartie du triomphe de Guillaume allait-elle donc se réaliser[7] ? »

Sans aucun doute elle se serait réalisée, si la même foi qui animait Charles-Édouard dans le succès de sa cause eût soutenu le courage des chefs qui l'entouraient. Une entreprise comme la sienne avait quelque chose de merveilleux qui ne permettait pas de la soumettre aux calculs ordinaires de la prudence humaine. Jusque-là, il semblait avoir été soutenu par Dieu et son bon droit ; il fallait continuer ; car reculer, c'était en quelque sorte douter de l'un et de l'autre, et de plus c'était s'exposer à tous les malheurs qu'une défaite eût entraînés aux portes de la capitale ; mais du moins, dans ce dernier cas, eût-on succombé avec gloire, tandis que dans l'autre il n'y avait que de la honte à recueillir.

[6] M. Amédée Pichot, Hist. du prince Charles-Édouard, t. II, p. 99.
[7] M. Améde Pichot, Histoire du prince Charles-Édouard, t. II, p. 113 et suivantes.

Chapitre IX

Le jour même de son arrivée à Derby, Charles-Édouard reçut un courrier d'Écosse qui lui annonçait le débarquement à Montrose de lord Drummond, frère du duc de Perth, arrivé de France avec un régiment d'infanterie appelé le Royal-Écossais, deux escadrons du régiment de cavalerie Fitz-James, et les piquets de la brigade irlandaise au service de France. Cette brigade était commandée par l'illustre et malheureux comte Lally[1], qui venait de se couvrir de gloire à Fontenoy, et qui, dans son zèle pour les Stuart, avait quitté l'armée du maréchal de Saxe pour se joindre à lord Drummond, avec l'élite de son régiment. Lord Drummond annonçait que les renforts amenés par lui s'élevaient à trois mille hommes, qui, joints à l'armée de réserve, rassemblée à Perth, formeraient un total de six à sept mille hommes. Il ajoutait qu'il croyait pouvoir assurer au prince que dix mille Français devaient bientôt mettre à la voile à Calais et à Dunkerque, où le duc d'York, son frère, et le duc de Richelieu, n'attendaient plus qu'un vent favorable.

Il reçut le même jour de nouvelles lettres du pays de Galles qui lui représentaient cette province comme prête à se soulever au premier signal, et qui l'engageaient à se diriger de ce côté ; en même temps on lui annonçait que la population du Northumberland était favorablement disposée, et prête à se prononcer énergiquement pour lui s'il se présentait dans ce comté. Enfin, les jacobites de Londres et des comtés du sud, quoique plus tièdes dans l'expression de leur dévouement, n'en paraissaient pas moins disposés à se déclarer quand le moment serait venu.

[1] *Cf. plus haut (chapitre 7). C'est après la campagne aux côtés de Charles-Édouard que Lally partit pour les Indes au service de la France.*

Charles-Édouard assembla son conseil pour lui communiquer toutes ces dépêches, espérant bien que leur lecture entraînerait cette exclamation «Marchons à Londres,» comme naguère à Glenfinnin ils s'étaient écriés avec lui «Marchons à Édimbourg.» Mais il fut cruellement trompé dans son attente. Un silence glacial accueillit les dépêches, et lord Georges Murray, prenant la parole au nom de tous, représenta au prince les vaines promesses des jacobites anglais, toujours retardées par de nouveaux prétextes. «L'armée écossaise n'était qu'une poignée d'hommes au milieu d'une population plus indifférente qu'amie,» et que le moindre échec pouvait rendre hostile. Bien plus, cette armée qui s'avançait ainsi, sans point d'appui pour ses opérations, laissant derrière elle les troupes du maréchal de Wade à Newcastle, et celles du duc de Cumberland à quelques milles de distance, allait encore rencontrer une troisième armée qui se réunissait en avant de Londres pour couvrir cette ville. Mais, en supposant qu'on renversât cette dernière barrière, et que l'armée écossaise pénétrât dans Londres, quelle figure feraient quatre à cinq mille montagnards perdus dans cette immense cité? Quelle protection offriraient-ils à leurs partisans? Quel respect inspireraient-ils à leurs ennemis? Le moindre échec pouvait détruire le prestige qui s'attachait à leurs succès ou plutôt à leurs marches rapides; une victoire même pouvait tellement éclaircir leurs rangs qu'elle leur serait presque aussi fatale qu'une défaite. Le parti le plus prudent était donc de se replier sur l'Écosse, soit pour y protéger l'indépendance de ce royaume, soit pour y retrouver d'indispensables renforts, puisque ces renforts on les cherchait en vain en Angleterre[2].»

Une opinion si nettement formulée par l'homme qui était regardé comme l'âme du conseil, et l'espèce d'assentiment qui suivit le discours de Murray, firent comprendre à Charles-Édouard qu'il aurait bien de la peine à ramener ses compagnons à ses propres idées. Il voulut toutefois le tenter, et, faisant appel à cette même prudence qu'on lui opposait: «Vous craignez, dit-il, de vous trouver entre deux armées avant de frapper à ces portes de Londres qui n'attendent que notre approche pour s'ouvrir; mais n'allons-nous pas, en rétrogradant, nous mettre entre l'armée du fils de l'électeur de Hanovre et celle du maréchal de Wade? S'il faut combattre, ce sera comme des fuyards qui

---

[2] *Mémoires du chevalier Johnstone. M. Amédée Pichot, Histoire du prince Charles-Édouard, t. II, p. 113 et suiv.*

se défendent ; nous aurons perdu tout le prestige qui nous a soutenus jusqu'ici, et nous aurons donné à nos ennemis la confiance d'une armée supérieure devant laquelle fuit un ennemi à demi vaincu. J'en ai la conviction : revenir sur nos pas au point où nous sommes arrivés, c'est s'exposer à une longue déroute ; quant à moi, plutôt que de battre en retraite, j'aimerais mieux être à vingt pieds sous terre[3].

Lord Georges Murray répliqua en peu de mots que dans cette contre-marche, qu'il n'appelait point une retraite, il se faisait fort de ramener l'armée jusqu'en Écosse, sans qu'elle eût rencontré ni le duc de Cumberland, ni le général Wade ; qu'alors, revenus dans leur pays, ils se joindraient à l'armée de réserve et aux troupes amenées par lord Drummond ; que les troupes auxiliaires attendues de France auraient eu aussi le temps d'arriver, et qu'au printemps prochain le prince pourrait ouvrir la campagne avec une armée nombreuse et aguerrie, qui serait d'autant plus redoutable qu'avec une poignée d'hommes il avait fait trembler l'ennemi jusque dans sa capitale.

Charles essaya encore de ramener le conseil à son opinion ; il s'exprima avec chaleur et enthousiasme ; il descendit jusqu'aux supplications, tout fut inutile ; l'obstination de son conseil l'emporta, et la retraite fut résolue pour le lendemain, 6 décembre.

L'armée se mit en marche avant le jour. Les officiers inférieurs et les soldats, ignorant la résolution prise par le conseil du prince, croyaient continuer leur route sur Londres ou aller combattre le duc de Cumberland. Ils ne s'aperçurent du mouvement rétrograde qu'on leur faisait exécuter que quand la clarté du jour leur permit de reconnaître les mêmes lieux qu'ils avaient traversés deux jours auparavant. « Nous aurions été battus, dit le chevalier Johnstone, dont nous avons déjà cité les mémoires, que notre chagrin n'eût pas été plus amer. » Bientôt le mot de trahison parcourut les rangs, et il s'éleva un murmure de mécontentement que les chefs eurent de la peine à calmer.

Quant à Charles-Édouard, qu'on avait vu jusque-là toujours en tête de l'armée, l'excitant par son exemple et par ses paroles encourageantes à supporter les fatigues de cette pénible expédition, maintenant triste, abattu, il restait à l'arrière-garde, et souvent on fut obligé de l'attendre, tant il s'éloignait à regret du but qu'il s'était vu si près d'atteindre, et auquel il fallait désormais renoncer.

---

[3] *Mémoires manuscrits du capitaine Daniel, communiqués à lord Mahon et cités par M. Pichot.*

L'armée arriva le 7 à Leek, le 8 à Macclesfield, et le 9 à Manchester, où elle fut accueillie avec les mêmes témoignages de dévouement et de zèle que la première fois. Le lendemain elle coucha à Wigan, et le 11 elle arriva à Preston, où elle fit séjour. Le 13, elle atteignit Lancastre, y resta la journée du 14, et le 15 elle se porta sur Kendal, où l'on apprit qu'on avait laissé en arrière le feld-maréchal de Wade, qui devait manœuvrer de manière à couper la retraite aux Écossais. Lord Murray, qui avait conseillé cette retraite, avait été chargé par Charles-Édouard de la diriger. Il s'en acquitta en habile tacticien, et sut prendre si bien ses mesures qu'il déjoua tous les mouvements du feldmaréchal, et qu'une fois arrivé à Kendal, il n'avait plus à craindre qu'aucun ennemi lui fermât le chemin de l'Écosse. Mais, s'il n'avait plus d'ennemis devant lui, il y en avait un plus actif, plus entreprenant, et plus intrépide que le maréchal de Wade, qui poursuivait l'armée depuis son départ de Derby, et qui allait bientôt l'atteindre : c'était le duc de Cumberland.

Ce prince, en apprenant l'occupation de Derby par les jacobites, avait fait un mouvement rétrograde pour couvrir Londres, de sorte qu'il ne fut informé de leur retraite que deux jours après qu'ils avaient quitté Derby. Il résolut alors de les poursuivre à outrance[4], en se mettant à la tête de ses quatre mille dragons, et en faisant monter en croupe mille de ses fantassins. Mais, quelque diligence qu'il fît, il marcha pendant douze jours sans pouvoir les rejoindre. Enfin il les atteignit près de Clifton, et là eut lieu un sanglant combat où le duc de Cumberland fut complètement battu et forcé d'abandonner la poursuite de l'armée écossaise. Voici les détails de cette affaire, racontés par un des principaux acteurs de ce drame sanglant, Evan Macpherson de Cluny, chef du clan des Macphersons. Ce récit est extrait de ses mémoires écrits en France, où ce vaillant chef vivait en exil quelques années après l'événement. On y trouve aussi quelques détails sur la retraite de l'armée écossaise.

«Dans la retraite du prince, de Derby vers l'Écosse, lord Georges Murray, lieutenant général, se chargea lui-même avec joie du commandement de l'avant-garde, poste qui, tout honorable qu'il fût, était environné de grands périls, de nombreuses difficultés et de non moins de fatigues ; car le prince était obligé de hâter sa marche, dans la crainte que la retraite ne lui fût coupée par le maréchal de Wade, qui occupait le nord avec une armée de beaucoup supérieure aux troupes

[4] *Sans trève, jusqu'à la mort ou l'extermination.*

que S. A. R. pouvait lui opposer, tandis que le duc de Cumberland, avec toute sa cavalerie, suivait de près son arrière-garde. Toutefois, il était impossible à l'artillerie d'avancer aussi vite que l'armée du prince, au milieu de l'hiver, par un temps affreux et à travers les plus mauvais chemins de l'Angleterre ; aussi chaque jour lord Murray était obligé de prolonger sa marche bien avant dans la nuit, exposé en même temps à de fréquentes alarmes et aux escarmouches des postes avancés du duc de Cumberland.

«Vers le soir du 18 décembre 1745, le prince entra dans la ville de Penrith, dans la province de Cumberland. Mais comme lord Georges Murray ne pouvait conduire l'artillerie aussi vite qu'il l'aurait désiré, il fut obligé de passer la nuit à six milles de cette ville avec le régiment de Macdonald de Glengarrie, qui ce jour-là formait l'arrière-garde. Le prince, afin de reposer ses troupes, et de donner à mylord Georges et à l'artillerie le temps de le rejoindre, résolut de séjourner le 19 à Penrith. Il ordonna donc à sa petite armée de prendre les armes le matin, voulant la passer en revue et reconnaître les pertes qu'il avait faites depuis son entrée en Angleterre. Il lui restait alors en tout cinq mille fantassins avec environ quatre cents hommes de cavalerie, composés de gentilshommes qui servaient comme volontaires, et dont une partie formait un premier détachement de gardes du prince, sous le commandement de lord Elcho, depuis comte de Weems, proscrit et maintenant en France. Une autre partie formait une seconde troupe de gardes, sous le commandement de lord Balmerino, qui fut décapité à la Tour de Londres. Un troisième corps servait sous les ordres du lord comte de Kilmarnoch, qui fut également décapité. Enfin, un quatrième était sous les ordres de lord Pitsligow, qui est aussi proscrit. Cette cavalerie, quoiqu'en si petit nombre, étant toute composée de gentilshommes très braves, était d'un grand secours pour l'infanterie, non seulement sur le champ de bataille, mais aussi dans les marches, servant de gardes avancées, et faisant des patrouilles durant la nuit sur les différents chemins qui conduisaient aux villes où l'armée devait prendre ses quartiers.

«Pendant que cette petite armée était réunie, le 19 décembre, sur une plaine élevée, au nord de Penrith, pour passer la revue, M. de Cluny et sa tribu furent envoyés au pont de Clifton, à un mille environ au midi de Penrith, après avoir été passés en revue par M. Pattullo, quartier-maître général de l'armée, qui était chargé de l'inspection des troupes, et qui se trouve présentement en France. Ils demeurèrent en armes près du pont, en attendant l'arrivée de lord Georges Murray et de l'artillerie, dont M. de Cluny avait reçu l'ordre de couvrir le passage Ils arrivèrent au coucher du soleil, vivement poursuivis par le duc de Cumberland avec toute sa cavalerie, formant un corps de plus de trois mille hommes, dont un tiers environ mit pied à terre pour couper le passage du pont à l'artillerie, tandis que le duc et les autres restèrent à cheval pour attaquer l'arrière-garde. Lord Georges Murray avança, et, bien qu'il trouvât M. de Cluny et sa tribu sous les armes et en bonnes dispositions, cependant la situation lui parut très délicate. Vu l'extrême inégalité du nombre, l'attaque semblait fort dangereuse ; aussi lord Georges différa-t-il de donner ses ordres jusqu'à ce qu'il eût pris l'avis de M. de Cluny. «Je les attaquerai de tout mon cœur, répondit M. de Cluny, si vous me l'ordonnez. — Eh bien ! je vous l'ordonne, répondit lord Georges.» Et se joignant aussitôt à M. de Cluny, ils combattirent à pied, le sabre à la main, avec la seule tribu des Macphersons. En un moment ils s'ouvrirent un passage à travers une haie d'aubépine derrière laquelle la cavalerie avait pris position. En la traversant, lord Murray, vêtu en montagnard, comme toute l'armée, y perdit son bonnet et sa perruque, et continua à combattre nu-tête pendant l'action. Ils firent d'abord une vive décharge de leurs armes à feu sur l'ennemi, et l'attaquèrent ensuite le sabre à la main ; ils en firent longtemps un grand carnage, qui obligea Cumberland à fuir précipitamment avec sa cavalerie, et dans une telle confusion que, si le prince avait eu suffisamment de cavalerie pour profiter de ce désordre, il est hors de doute que le duc de Cumberland eût été fait prisonnier avec la plus grande partie de sa troupe. Il faisait alors si obscur, qu'il n'était pas possible de voir ni de compter les morts qui remplissaient tous les fossés du théâtre de l'action ; mais on calcula que, outre les blessés qui parvinrent à s'échapper, une centaine au moins restèrent sur la place, entre autres le colonel Honyvood, qui commandait la cavalerie démontée. M. de Cluny s'empara de son sabre, d'une valeur considérable, et il le conserve encore ; sa tribu prit également beaucoup d'armes. Le colonel fut fait prisonnier bientôt après, et ne se rétablit que difficilement de ses blessures.

«M. de Cluny ne perdit qu'une douzaine d'hommes, dont quelques-uns, n'étant que blessés, tombèrent ensuite entre les mains de l'ennemi et furent envoyés esclaves en Amérique. Plusieurs en sont revenus, et l'un d'eux est maintenant en France, sergent dans le régiment Royal-Écossais.

«Sitôt que le prince reçut la nouvelle de l'approche de l'ennemi, Son Altesse Royale détacha lord comte de Nairn, brigadier (proscrit et maintenant en France), avec les trois bataillons du duc d'Athol, le bataillon du duc de Perth, et quelques autres troupes sous ses ordres, pour soutenir Cluny et dégager l'artillerie; mais l'action était entièrement terminée avant que le comte de Nairn avec ses troupes eût atteint le champ de bataille. Ils retournèrent donc à Penrith, et l'artillerie s'avança en bon ordre. Dès lors le duc de Cumberland n'osa plus s'approcher du prince et de son armée à plus d'une journée de marche pendant tout le cours de cette retraite, avec beaucoup de prudence, quoiqu'on fut environné d'ennemis de toutes parts[5].»

D'après le récit de M. de Cluny, il semblerait que sa tribu seule fut engagée dans l'affaire de Clifton. Cependant il s'y trouvait aussi les Macdonalds de Glengarrie, les Stewarts d'Appin, et deux cents hommes commandés par le colonel Roy Stewart. Toutes ces troupes prirent part au combat; mais il est vrai que les Macphersons se signalèrent d'une manière toute particulière. Les dragons furent culbutés et mis en déroute complète; le duc de Cumberland faillit même perdre la vie. Un montagnard qui ne le connaissait pas avait dirigé un pistolet sur sa poitrine; il lâcha la détente, mais le coup ne partit pas.

Lord Georges Murray rejoignit le prince à Penrith au moment où il montait à cheval et où l'armée se mettait en marche. Charles-Édouard félicita son lieutenant de l'avantage qu'il venait de remporter. On alla coucher à Carlisle, qu'on évacua le lendemain matin, après y avoir laissé une garnison de trois cents hommes, toute composée d'Anglais et d'Irlandais au service de France. Ce qui avait déterminé ce choix, c'est que, si ces hommes étaient forcés de capituler, ils ne pourraient être considérés comme des rebelles, et seraient traités comme des prisonniers de guerre. Carlisle, en effet, ne tarda pas à être investi par toute l'armée du duc de Cumberland, et une artillerie formidable foudroya ses remparts. La garnison demanda enfin à capituler; le duc y consentit en n'accordant que la vie sauve aux soldats (30 décembre 1745, v. s.).

Après la prise de Carlisle, le duc de Cumberland retourna à Londres, laissant le commandement partagé entre le feld-maréchal de Wade et

---

[5] *Extrait des Mémoires manuscrits d'Evan Macpherson de Cluny. Ces Mémoires ont été écrits en 1755, dix ans après les événements qui y sont racontés. L'extrait que nous venons de reproduire a été publié par sir Walter Scott à la suite de son roman de Waverley.*

le général Hawley; le premier reprit sa position à Newcastle, le second entra en Écosse.

Tandis que le duc de Cumberland était occupé au siège de Carlisle, Charles-Édouard avait paisiblement continué sa retraite. Le 20 décembre, jour anniversaire de sa naissance, l'armée arriva sur les bords de l'Esk, petite rivière, mais alors grossie par les pluies continuelles qui tombaient depuis le combat de Clifton, et qui en rendaient le passage dangereux. On l'effectua cependant, non sans de grandes difficultés. Charles-Édouard, qui, dans les circonstances de cette nature, veillait avec sollicitude sur le salut de ses soldats, voyant un montagnard entraîné par le courant, lança son cheval de son côté, le saisit par les cheveux en appelant au secours, et, au risque de périr lui-même, il le retint jusqu'à ce que ses camarades vinssent l'aider à le déposer à terre. Ce trait de courage et d'humanité augmenta l'affection que les montagnards portaient à leur cher Charlie[6].

Après avoir passé l'Esk, l'armée se dirigea sur Glasgow par trois routes différentes. Le prince occupa Dumfries, ville peuplée de presbytériens fanatiques qui avaient précédemment arrêté une partie des bagages et des munitions de l'armée, et qui, se figurant voir arriver les montagnards dans le désordre d'une déroute, leur préparaient une réception peu amicale. Ce n'était pas la première fois, depuis son départ de Derby, que Charles-Édouard reconnaissait combien il avait raison de penser qu'un mouvement rétrograde serait regardé comme l'aveu d'une défaite. Ceux qui avaient admiré son courage, et surtout ceux que ce courage avait fait trembler, ignorant qu'il avait presque seul persisté à marcher sur Londres, se récriaient sur la folie d'une expédition traitée d'échauffourée ridicule, de vaine bravade aboutissant à une manifestation d'impuissance. Le peuple, pour qui une retraite ressemble toujours à une fuite, ne vit plus en lui qu'un aventurier, et dans quelques-uns des comtés où il avait été le mieux accueilli d'abord, Charles-Édouard reconnut que la population lui était devenue presque hostile. On peut juger des sentiments qui animaient la population des villes qui, comme Dumfries et Glasgow, dont nous allons bientôt parler, s'étaient toujours montrées ennemies exaltées des Stuart. La veille même, les habitants de Dumfries avaient illuminé, sur la fausse

---

[6] *Nom que les Jacobites écossais donnaient, par affection, au prince.*

nouvelle d'une défaite subie par les montagnards. Ceux-ci trouvèrent encore les lampions en place et les feux de joie à demi éteints. Charles-Édouard arrêta la fureur de ses Highlanders, qui voulaient brûler et piller la ville ; seulement il condamna les habitants à 2 000 livres sterling d'amende.

Le 25 décembre, l'armée jacobite fit son entrée à Glasgow. Cette ville industrielle et commerçante était loin d'avoir atteint la prospérité où elle est parvenue depuis ; mais elle était déjà la rivale d'Édimbourg par sa population et son étendue. Elle n'était pas mieux disposée que Dumfries en faveur des Stuart, et elle avait récemment levé un corps de milice de huit à neuf cents hommes pour le service de Georges II. Plusieurs des riches commerçants de cette cité s'attendaient à de dures représailles ; et il fallut encore tout l'ascendant de Charles-Édouard sur ses montagnards, jointe à l'influence personnelle du duc de Perth, de Lochiel et des autres chefs, pour arrêter la double ardeur de vengeance et de pillage dont ils étaient animés. Seulement, on exigea, comme après la bataille de Preston, une contribution de 5 500 livres sterling, et de plus la fourniture d'une quantité suffisante d'habillements et de chaussures pour remplacer les effets usés des soldats.

Pendant son séjour à Glasgow, Charles-Édouard apprit la reddition de Carlisle par l'arrivée de MM. Nairn et Gordon, deux officiers du régiment de Lally, qui, ne se fiant pas à la parole du duc de Cumberland, s'étaient échappés de la ville au moment où la capitulation venait d'être signée. Bien leur en prit, car douze de leurs camarades furent depuis pendus et écartelés à Londres, où leurs têtes restèrent longtemps exposées sur la porte de Templebar ; le reste de la garnison languit dans les cachots, confondu avec les criminels, ou fut envoyé en Amérique comme esclave. Ces tristes nouvelles firent sur le cœur d'Édouard une impression d'autant plus pénible, qu'elles semblaient présager le sort futur de bon nombre de ses compagnons, et peut-être le sien.

Cependant, au milieu de la population si hostile de Glasgow, et malgré la mauvaise tournure que prenaient ses affaires, Charles-Édouard rencontra encore des cœurs dévoués à sa cause. Des dames jacobites se paraient de la cocarde blanche, et soixante volontaires venaient s'enrôler sous ses drapeaux. Les presbytériens étaient furieux de ces démonstrations ; mais ils n'osaient manifester trop haut leur mécontentement dans la crainte des montagnards ; toutefois, un de ces fanatiques plus exalté que les autres, et inspiré par une sainte haine du papisme, résolut d'assassiner le prince. On l'arrêta au moment où il dirigeait son pistolet contre Charles-Édouard, qui conserva tout son sang-froid et sa modération. Quand on interrogea l'assassin sur les motifs qui l'avaient porté à commettre un tel crime il répondit froidement que c'était parce que «cet homme portait le signe de la bête de l'Apocalypse. »

Chapitre X

Charles-Édouard s'arrêta huit jours entiers à Glasgow, pour donner à ses soldats un repos dont ils avaient si grand besoin après avoir parcouru cinq cent quatre-vingt milles en cinquante-six jours de marche. Le neuvième jour, l'armée se mit en route pour Stirling, où elle arriva le 5 janvier. La ville et la citadelle étaient occupées par des troupes du roi Georges ; la ville se rendit après deux jours de siège, mais la citadelle refusa de capituler, et l'on se contenta de l'investir, sa garnison étant trop faible pour inspirer une crainte sérieuse, et trop bien retranchée pour exposer la vie d'une foule de braves gens qu'il aurait fallu sacrifier pour s'en rendre maître.

Les renforts amenés par lord Drummond rejoignirent le prince à Stirling, et son armée se trouva alors plus forte que l'armée anglaise actuellement en Écosse. Celle-ci comptait environ huit mille hommes cantonnés à Édimbourg, sous les ordres du général Hawley, qui remplaçait à la fois le feld-maréchal de Wade, mis de côté à cause de son âge, et le général Cope, jugé incapable depuis sa défaite de Prestonpans.

Le général Hawley n'était pas moins présomptueux que sir John, et il parlait avec un égal mépris de la *milice sauvage* des montagnes, et de ce général, qui n'avait pas su les vaincre. Dans son impatience de détruire ce *ramassis de rebelles*, qu'il se vantait d'anéantir du premier choc, il ne voulut pas attendre les renforts qui lui étaient annoncés, et il partit d'Édimbourg le 16 janvier avec les dragons du régiment de Cobham. Avant de quitter la ville, il fit élever cinq potences, promettant aux whigs qu'ils y verraient, à son retour, figurer cinq des principaux chefs de la rébellion. Il s'était fait précéder par son major général Husk, qui rencontra lord Georges Murray, venu en reconnaissance jusqu'au-delà de Linlithgow. Murray se replia sans combattre sur Falkirk, où l'armée anglaise arriva le 17, et campa dans la plaine.

Hawley ne doutait pas que son approche ne suffît pour faire lever le siège de la citadelle de Stirling ; mais il pensait que Charles-Édouard ne l'attendrait pas, et qu'il chercherait à gagner les montagnes. Il se préoccupait déjà des moyens de le poursuivre et de l'atteindre avant qu'il eût pu se réfugier dans le pays haut, où il eût été plus difficile de suivre ses traces. Le prince ne tarda pas à lui enlever ce souci. Laissant mille hommes pour bloquer le fort de Stirling il s'avança jusque dans la plaine de Falkirk à la rencontre des Anglais. En route, il annonça à ses officiers qu'il était résolu à livrer bataille, et il prit toutes ses dispositions en conséquence. Apercevant un terrain qui dominait la plaine de Falkirk, et que les Anglais avaient négligé d'occuper, il y dirigea le gros de son armée. Cette position était d'autant plus avantageuse, que le vent ce jour-là soufflait avec violence du sud-ouest, et que la pluie qu'il amenait avec lui frapperait les Anglais au visage, tandis que les montagnards la recevraient par derrière.

Tandis que Charles-Édouard rangeait son armée en bataille et se préparait à combattre, le général Hawley déjeunait tranquillement dans le château de Callander, où l'avait invité la comtesse de Kilmarnock, l'épouse d'un des chefs de l'armée jacobite. Cette circonstance n'avait pas empêché le général d'accepter l'invitation de la comtesse, et il était en train de faire honneur au splendide festin de la dame jacobite, quand un messager vint lui annoncer de la part de ses officiers qu'ils allaient être attaqués. Hawley, qui ne pouvait supposer que le prince eût l'audace de prendre l'offensive, ne voulut pas croire à ce qu'on lui disait ; il renvoya durement le porteur de cette nouvelle, le traitant d'importun qui venait le déranger au milieu de son repas pour quelque fausse alerte. La comtesse de Kilmarnock feignit d'être de l'avis de son hôte, et redoubla d'instances pour le retenir plus longtemps. Ce ne fut qu'à un troisième message qu'il se décida à se lever de table et à aller voir ce qui se passait. En sortant du château, il rencontra des habitants de la campagne qui fuyaient dans toutes les directions, pour éviter de se trouver entre deux armées prêtes à s'entrechoquer. Il entendait le roulement des tambours retentissant sans interruption, et quand il arriva, il vit ses soldats sous les armes qui accusaient la lenteur de leur général.

Quand Hawley parut dans la plaine, Charles-Édouard manœuvrait, comme nous l'avons dit, pour s'emparer du tertre qui la dominait. Le général anglais, devinant son intention, fit partir à la hâte ses dragons pour occuper eux-mêmes cette position, où déjà se montraient quelques montagnards. Hawley se mit lui-même à la tête de ses fantassins pour soutenir sa cavalerie, et se fit suivre par son artillerie ; mais les canons s'enfoncèrent dans une fondrière d'où il fut impossible de les tirer. L'orage, comme l'avait prévu Charles-Édouard, commença à éclater, et la pluie qui tombait à torrents était poussée par le vent dans le visage des dragons, qu'elle aveuglait ; en même temps ils se trouvèrent arrêtés par un marais situé au pied de la hauteur où les Highlanders prenaient position et déployaient leurs colonnes sans rencontrer d'obstacles.

Le plateau élevé sur lequel était rangée l'armée jacobite, à un mille sud-ouest de Falkirk, a reçu dès lors le nom de Champ-de-Bataille (Battlefield), et le ruisseau qui y prend sa source et va se jeter dans le Carron, a été nommé Redburn, ou ruisseau rouge.

En se voyant au moment de livrer bataille aux Anglais, Charles-Édouard parut tel qu'on l'avait vu avant la retraite de Derby ; la tristesse et l'abattement avaient fait place à une audace chevaleresque qui brillait dans ses yeux, éclatait dans ses gestes et dans ses paroles, et inspirait un vif enthousiasme à ceux qui l'approchaient. La même ardeur animait le dernier soldat comme le prince ; et lord Georges Murray eut beaucoup de peine à obtenir des clans qu'ils n'attaqueraient pas les dragons arrêtés au bord du marais, et qu'ils les laisseraient avancer à portée de leurs mousquets. Heureusement ils n'eurent pas longtemps à attendre.

Hawley fit faire un détour à ses dragons, et lança les trois régiments de cette arme qu'il avait à ses ordres sur le plateau occupé par les Highlanders. Celui qui marchait en tête était le même régiment qui avait fui si lâchement à Prestonpans, et dont le colonel Gardiner s'était fait tuer bravement à la tête d'un corps étranger. Il était alors commandé par le colonel Ligonier, brave officier d'origine française[1] : mais que pouvait le courage d'un chef sur une troupe démoralisée ? À peine ses dragons eurent-ils essuyé la première décharge des montagnards qu'ils tournèrent le dos et s'enfuirent à toute bride. Le régiment de Cobham imita celui de Ligonier ; seulement il conserva un meilleur ordre dans

---

[1] *La famille Ligonier était d'origine huguenote et avait fui la France au XVIIe siècle.*

sa fuite, qui n'en fut pas moins précipitée. Le troisième régiment osa seul charger sérieusement les montagnards, sous la conduite de son lieutenant-colonel Whitney. Cet officier fut tué dès le commencement de l'action, et ses dragons se jetèrent sur les rangs ennemis pour venger sa mort ; ils renversèrent et foulèrent quelques hommes, entre autres le chef de Clanranald ; mais les montagnards de la seconde ligne, se glissant sous le ventre des chevaux, les poignardaient et avaient facilement raison des cavaliers démontés. Enfin vint le tour de l'infanterie anglaise ; elle allait s'avancer au pas de charge, quand les Macdonalds se précipitèrent sur elle et ne lui donnèrent pas le temps de décharger ses fusils. Déjà ébranlée par la fuite des dragons, elle fut facilement mise en déroute.

Cependant deux régiments de ligne, soutenus de quelques dragons qui s'étaient ralliés derrière eux, rétablirent un instant le combat à l'extrémité de l'aile droite anglaise, et comme ces troupes dépassaient de beaucoup l'aile gauche des montagnards, elles auraient pu reconquérir la victoire ou du moins la disputer glorieusement. Mais Charles-Édouard, ayant vu cet incident du haut du plateau où il se tenait avec la réserve, fondit sur l'aile droite des Anglais et les eut bientôt forcés à la retraite.

Ce dernier mouvement termina le combat, qui n'avait pas duré un quart d'heure. On voulut en vain poursuivre l'ennemi ; sa fuite avait été si rapide qu'on ne l'aperçut nulle part, et qu'on craignit quelque ruse de guerre ayant pour but d'attirer les vainqueurs dans une embuscade : cette crainte sauva les vaincus. D'ailleurs la nuit était arrivée, et bientôt on apprit que le général Husk avait eu le temps de faire retraite en assez bon ordre avec les dragons de Cobham et les débris de l'aile droite. À sept heures du soir il avait déjà atteint Linlithgow, à dix milles du champ de bataille. Il était donc impossible de songer à la poursuite, et il fallut se contenter de ce que l'ennemi avait laissé dans son camp et sur le champ de bataille, tentes, munitions, armes, canons, étendards, etc.

Dans ce combat, les Highlanders n'avaient perdu que quarante hommes tués ; le double avaient été blessé : les Anglais avaient eu près de six cents hommes tués, dont trois lieutenants-colonels et neuf capitaines ; les blessés et les prisonniers s'élevaient à peu près au même nombre, ce qui portait la perte totale des Anglais à douze cents hommes environ.

Le général Hawley, si présomptueux, si outrecuidant avant la bataille, désespérant de rallier les fuyards, s'était mis lui-même à leur tête. En traversant la petite ville de Falkirk, il fit tomber sa rancune sur une croix de pierre élevée au milieu de la place publique, et la mutila avec son épée : exploit bien digne d'un homme qui, sous prétexte qu'il était philosophe, se vantait de ne pas croire en Dieu. Quand il arriva à Édimbourg, le bruit de sa défaite l'y avait précédé. Les whigs étaient consternés. Hawley eut l'impudence de publier dans les journaux qu'il avait battu les rebelles, mais que l'orage l'avait forcé de sacrifier son triomphe à la conservation de ses troupes, qu'il avait préféré ramener saines et sauves à Édimbourg. Pour expliquer la perte de ses canons, il fit dégrader publiquement le commandant de son artillerie qui, il est vrai, avait fui sur un cheval détaché par lui-même d'un caisson, mais qui n'était pas plus coupable après tout que son général. Du reste, comme on le pense bien, la conduite d'Hawley fut promptement jugée par la partie éclairée du public et par les hommes compétents. On lit dans une lettre écrite d'Édimbourg le 22 janvier par le géneral Wightman, le passage suivant : « Le général Hawley est dans la situation du général Cope. On ne l'a pas vu sur le champ de bataille pendant l'action ; tout aurait été perdu comme à Prestonpans et pire encore, si le général Husk n'avait agi avec autant de talent que de courage en se montrant partout. Hawley paraît sentir sa mauvaise conduite. Quand je le vis samedi matin à Linlithgow, il avait un air bien misérable ; plus misérable que Cope, deux heures après sa déroute, quand je le vis à Fala. »

Le lendemain de la bataille, Charles-Édouard fit ensevelir les morts : on creusa une fosse immense où ils furent déposés pêle-mêle, excepté quelques officiers de distinction, qui reçurent dans le cimetière de Falkirk des obsèques particulières. Pendant qu'on rendait ces tristes devoirs aux morts, un fâcheux accident causa de nouvelles funérailles, que le prince lui-même honora de sa présence. Voici cette anecdote, que nous reproduisons parce qu'elle offre un des traits de mœurs des montagnards écossais de cette époque.

Un montagnard du clan Ranald, voulant nettoyer une carabine qui lui était échue en partage dans la distribution des dépouilles du champ de bataille, en avait déjà extrait une balle : il eut le malheur de décharger cette arme par une fenêtre auprès de laquelle était un groupe d'officiers : une seconde balle était dans le canon et alla blesser le jeune Glengary, qui mourut une heure après dans les bras de ses amis, en les suppliant de ne pas exiger que le sang fût le prix du sang, persuadé comme il l'était de l'innocence de l'auteur de sa mort. La loi de *sang pour sang* était inexorable dans l'opinion des Highlanders : Clanranald eût voulu vainement protéger la vie de son vassal. Le clan refusa de le livrer aux Glengarys, mais pour se charger en famille de son supplice : il fut fusillé. On dit que son propre père tira sur lui, sachant bien qu'il n'y avait plus d'autre service à rendre à son fils que d'abréger son agonie[2]. Charles donna des larmes au jeune Glengary, et dans la cérémonie des funérailles, il porta un des coins du manteau qui servait de drap mortuaire au jeune chef écossais.

Ces pénibles devoirs accomplis, Charles-Édouard ramena son armée à Stirling et recommença à presser le siège de la citadelle. Il perdit un temps précieux dans de vaines tentatives, et après plus de trois semaines employées à construire des batteries, on reconnut qu'elles étaient mal calculées et ne produiraient aucun effet. Dans l'intervalle, son armée avait été diminuée de moitié par l'absence des montagnards, qui, après la victoire de Falkirk, étaient allés selon leur usage porter leur butin chez eux. D'un autre côté, les fuyards anglais s'étaient ralliés à Édimbourg, des renforts leur étaient arrivés de l'armée de Wade, et le duc de Cumberland était chargé du commandement en chef des troupes anglaises réunies en Écosse.

La retraite de Derby avait rendu le courage à Georges II et à ses partisans. L'extinction complète de la rébellion ne paraissait plus qu'une affaire fort simple, et, après la prise de Carlisle, le duc de Cumberland l'avait abandonnée à des généraux d'un rang inférieur, comme une opération indigne d'occuper un fils de roi ; mais après la bataille de Falkirk on comprit que ce n'était pas trop de toutes les forces du royaume dirigées par un prince du sang pour triompher du jeune *prétendant*. Le départ du duc fut donc immédiatement décidé et effectué. Quatre jours après, il arrivait à Édimbourg (30 janvier 1746).

Après quelques heures de repos dans le lit que Charles-Édouard avait occupé à Holyrood, le duc de Cumberland réunit autour de lui les principaux officiers de l'armée, s'occupa activement de régler les opérations de la campagne, reçut aussi les magistrats et les notables de la ville pour stimuler leur zèle ; et le soir, dans ces mêmes salons où le dernier des Stuart avait reçu tant d'hommages, le nouveau prince

---

[2] *Home,* History of the rebellion, *cité et traduit par M. Amédée Pichot.*

voulut à son tour avoir une cour et une fête, où furent conviées les dames du parti whig.

Dès le lendemain, le duc de Cumberland se mit en route pour Stirling. Il avait sous ses ordres dix mille hommes, qu'il divisa en deux colonnes. Charles-Édouard, à l'approche de l'armée anglaise, leva le siège de la citadelle de Stirling, qui vingt-quatre heures plus tard se serait rendue à lui. Malgré l'infériorité numérique de son armée, il voulait livrer bataille aux Anglais ; mais comme à Derby, son opinion dut céder devant celle des chefs, qui jugèrent plus prudent de se retirer dans les montagnes, où ils seraient bientôt rejoints par les soldats absents depuis la bataille de Falkirk, et où d'ailleurs ils pourraient facilement, même avec leur armée telle qu'elle était réduite, écraser les troupes anglaises si elles osaient les y suivre.

Il fallut donc encore songer à la retraite. Les canons furent encloués[3], et l'on fit sauter le magasin à poudre. Le 1er février, l'armée jacobite alla coucher à Dumblane, le lendemain à Crieff, et le 3, après un conseil de guerre, elle se dirigea en deux corps sur Inverness, lieu fixé pour le rendez vous général. Le premier corps, sous les ordres du prince, suivit la route directe ; le second, commandé par lord Georges Murray, prit par les comtés d'Angus et d'Aberdeen, en longeant les bords de la mer.

La ville d'Inverness, située sur le bord de la mer au fond du golfe de Moray ou Murray, était considérée comme la capitale des Highlands ; mais elle était alors au pouvoir d'une garnison anglaise d'environ deux mille hommes, commandés par lord Loudon, lieutenant général au service de Georges II. Charles-Édouard, arrivé à dix milles de cette ville, jugea convenable d'attendre lord Georges Murray avant de chercher à s'en emparer. Son corps d'armée se cantonna dans les environs, et lui-même reçut l'hospitalité dans le château de Moy, appartenant à lady MacIntosh, une des héroïnes de son parti. Sachant que l'habitation qu'il avait choisie n'était entourée que de gens dévoués, le prince attendait sans inquiétude l'arrivée de son lieutenant général, mais cette sécurité faillit lui devenir funeste.

Lord Loudon, instruit par ses espions du peu de précautions prises par Charles-Édouard, résolut de tenter, par un coup de main hardi, de

---

[3] *Pour le mettre hors d'usage, on* enclouait *un canon en introduisant un clou dans sa* lumière *(ouverture par laquelle on enflammait la charge).*

s'emparer de sa personne, et de terminer ainsi la guerre d'un seul coup. Profitant d'une nuit obscure, il se mit à la tête de quinze cents hommes choisis dans la garnison, et se dirigea le plus secrètement possible vers le château de Moy, de manière à y arriver entre onze heures et minuit. Pour plus de précautions, il avait eu soin, avant de sortir de la ville, d'en faire fermer et garder les portes, afin que personne de l'intérieur ne pût donner l'alarme ; mais ce fut une précaution inutile. Une jeune fille de quatorze ans dont le père tenait une taverne, ayant entendu des officiers anglais parler entre eux de leur expédition nocturne, réussit à s'échapper de la ville avant la fermeture des portes, et courut jusqu'au château de Moy avertir lady MacIntosh du péril qui menaçait Charles-Édouard. Lady MacIntosh, dédaignant d'en prévenir son hôte, fit poster sur la route environ douze de ses serviteurs, leur donnant pour chef le forgeron du clan, homme déterminé et plein de ruse et d'audace. Il distribua ses camarades à des distances considérables les uns des autres, et quand l'ennemi fut à portée de fusil, ils firent feu sur le premier peloton de divers côtés et à des intervalles inégaux ; pendant ce temps-là, le forgeron ne cessait de crier : « À moi, Lochiel ! à moi, Macdonald ! voici, les Anglais qui voulaient nous surprendre. » L'avant-garde de lord Loudon recula épouvantée, croyant avoir tous les montagnards sur les bras, et ses quinze cents hommes firent une retraite précipitée jusqu'à Inverness[4].

Le lendemain, le prince prit une revanche sérieuse de la tentative avortée de lord Loudon ; il marcha sur Inverness, dont il s'empara, et força lord Loudon à se retirer, au-delà du golfe de Moray, dans le comté de Ross, où il fut poursuivi par le duc de Perth, et réduit à se réfugier dans l'île de Skye.

Deux jours après la prise d'Inverness, le fort de cette ville se rendit et fut rasé, à la grande satisfaction des Highlanders. Pendant ce temps-là lord Georges Murray avait rejoint le prince, et les soldats absents depuis Falkirk revenaient en foule sous les drapeaux, amenant avec eux de nouvelles recrues ; toutes les côtes du golfe de Moray étaient soumises au parti jacobite, ainsi que les Highlands à cent milles de distance d'Inverness. Charles-Édouard compta bientôt un nombre de troupes assez considérable pour rouvrir la campagne ; tous les

---

[4] M. Amédée Pichot, Hist. de Charles-Édouard, t. II, pp. 213 et 214.

forts furent peu à peu enlevés aux Anglais ; si les nouveaux secours d'hommes, d'argent et de munitions promis par la France arrivaient, on pouvait se flatter de battre au printemps le duc de Cumberland, ou de le laisser dans les montagnes pour marcher une seconde fois sur Londres. Ainsi paraissait justifiée l'opinion de ceux qui avaient conseillé la retraite de Stirling. En effet, l'armée du duc, entravée dans sa marche par les obstacles qu'elle rencontra dans les défilés de la haute Écosse, ne s'était pas avancée au-delà de Perth. Là, le duc ayant appris le débarquement de son beau-frère, le prince Frédéric de Hesse, au port de Leith, avec six mille Hessois de renfort qu'il lui amenait, s'empressa de retourner à Édimbourg pour se concerter avec lui, laissant le champ complètement libre à Charles-Édouard pour fortifier sa position dans le comté d'Inverness et dans les comtés voisins.

Chapitre XI

Lorsque le duc de Cumberland arriva au château d'Holyrood, il fut reçu en triomphe comme si la guerre était finie ; mais cette fois le fils de Georges II, mieux informé des ressources de l'insurrection, se garda bien d'imiter la présomption des Cope et des Hawley : il comprit qu'il n'avait pas trop de toutes ses forces pour comprimer l'insurrection. Ayant réuni ses troupes à celles de son beau-frère, il repartit pour Perth, en suivant la route qu'avait parcourue lord Georges Murray quand l'armée jacobite se rendait de Stirling à Inverness. Partout sur son passage, il recueillit des témoignages non équivoques du peu d'affection des populations pour sa famille. Dans le comté d'Angus, la plupart des propriétaires étaient à l'armée du prétendant ; à Forfar, la capitale, un détachement entier de l'armée jacobite fut soustrait à sa vue pendant qu'il traversait la ville, et le lendemain, aussitôt après son départ, la cocarde blanche reparut, le tambour fit entendre la *Marche des jacobites,* et l'on recruta publiquement pour le prétendant[1].

Pendant une nuit qu'il passa au château de Glamis, vieil édifice féodal qui remonte à Macbeth, on vola toutes les sangles des chevaux de son escorte, sans que les perquisitions les plus minutieuses aient pu faire découvrir les auteurs de ce singulier larcin, qui fit perdre près d'une journée pour le réparer.

Dans la ville de Brechin, située, à quelques milles de Glamis, la foule regardait silencieusement, comme partout, défiler le cortège du duc, quand celui-ci, apercevant parmi les curieux une jeune fille d'une grande beauté, lui adressa un salut gracieux ; la jeune Écossaise répondit à cette

[1] M. Amédée Pichot, Hist. du prince Charles-Édouard, t. II, pp. 213 et 214.

courtoisie par un geste du plus insultant mépris, et la foule applaudit à cet outrage, dont le duc jura de se venger.

Enfin, des corps de partisans ne cessant de harceler son armée pendant sa marche, il résolut de ne pas aller pour le moment plus loin qu'Aberdeen, et d'attendre au printemps pour se rapprocher des bords de la Spey. Mais il voulut, pour ne pas perdre le temps, l'employer à se venger de la *désaffection* des habitants du pays en exerçant contre eux toutes les rigueurs de la loi martiale. «Ce sont des nids de jacobites qu'il faut détruire par le fer et le feu,» disait-il en parlant des comtés d'Angus et d'Athol, et particulièrement de Brechin et de Glenesk. Ce fut là qu'il commença à exercer ces actes de rigueur implacable, et qui n'étaient encore que le prélude des cruautés qui devaient plus tard signaler le vainqueur de Culloden et lui mériter le surnom de *bourreau*[2].

Il fit occuper toutes les maisons des principaux partisans des Stuart par des soldats qui y mettaient le feu ou se contentaient, quand ils voulaient y loger, d'en expulser les propriétaires et de les réduire à errer sans asile dans les campagnes encore couvertes de neige. La mère du duc de Perth et la vicomtesse de Strathallan, qui n'avaient commis d'autre crime que d'avoir leur fils et leur époux dans le camp jacobite, furent arrêtées et envoyées au château d'Édimbourg, où elles restèrent enfermées pendant plus d'une année dans une chambre étroite et malsaine.

Le comté d'Angus, une partie de celui d'Athol et tout le Perthshire gémissaient sous cette odieuse oppression, quand lord Georges Murray résolut de rendre une visite à quelques-uns de ces garnisaires incommodes. Il choisit sept cents hommes déterminés dans les clans de MacPherson et d'Athol, et partit secrètement avec eux vers le milieu de mars. Il ne leur avait point fait connaître le but de cette expédition, mais tous le suivaient avec une confiance aveugle.

Lord Georges leur fit faire halte sur les confins du comté d'Athol, et là il les informa de son projet de surprendre, avant le jour et à la même heure, une trentaine de postes occupés par les Anglais dans ce canton. Les renseignements les plus positifs avaient fait connaître la force de chacun de ces postes; les montagnards se divisèrent en un nombre égal de pelotons, composés de plus ou moins de soldats selon la force du poste que chacun d'eux devait attaquer. L'expédition terminée, toutes

---

[2] *Plutôt que* bourreau, *c'est le surnom de boucher* – Butcher Cumberland – *qui fut, très justement, attribué à Cumberland.*

ces diverses bandes devaient se réunir au pont de Bruar, à deux milles de Blair, où lord Georges les attendait.

Les prescriptions du chef s'exécutèrent avec d'autant plus de précision, que toutes les localités à parcourir étaient parfaitement connues des hommes de l'expédition, et qu'un grand nombre d'entre eux avaient à déloger l'ennemi qui occupait leurs propres maisons ou celles de leurs parents ou amis. Tout réussit donc à souhait, et les trente postes anglais furent enlevés presque sans résistance. Lord Georges seul faillit être victime de son audace, et ne se tira d'embarras que par son adresse et sa présence d'esprit.

Il s'était rendu, avec vingt-quatre hommes seulement et toutes les cornemuses des deux clans, au pont de Bruar pour aller attendre sur ce point ses divers détachements, comme on en était convenu. Mais la sentinelle du poste de l'auberge de Blair ayant entendu du bruit, donna l'alarme au château de cette ville. Le gouverneur sortit aussitôt avec sa garnison, se dirigeant sur le pont de Blair ; lord Georges, se voyant sur le point d'être coupé, fit glisser tout son monde derrière un long mur de clôture, et ordonna à toutes ses cornemuses de jouer un air connu, équivalant pour les montagnards à la sonnerie de la générale. Le commandant anglais, persuadé qu'il avait affaire à trop forte partie, ne voulut pas se hasarder plus loin dans l'obscurité contre des hommes qui connaissaient parfaitement le terrain, et il rentra prudemment au château de Blair. Quelques heures après, lord Georges se présenta devant le château avec ses sept cents hommes, qu'il avait réunis, et le somma de se rendre. Sur le refus du commandant, il commença le siège ; mais après huit jours d'attaque inutile, il se vit forcé de rejoindre le prince, emmenant avec lui deux à trois cents prisonniers qu'il avait faits dans cette expédition. Il se retira sans être inquiété dans sa retraite, quoique les six mille Hessois débarqués à Leith depuis la bataille de Falkirk ne fussent qu'à une journée de Blair Athol. Lord Georges profita même du voisinage pour proposer au duc de Hesse un échange de prisonniers. Ce prince y consentait ; mais le duc de Cumberland s'y opposa formellement.

Nous avons déjà dit que le duc de Perth avait rejeté lord Loudon au-delà du golfe de Moray ; pendant ce temps-là, un autre détachement prenait le fort Auguste[3], Lochiel faisait le siège du fort Guillaume[4], ces

[3] Fort Augustus, à l'extrémité sud-ouest du Loch Ness.
[4] Fort William.

deux forteresses construites au commencement du siècle pour tenir en bride les Highlanders ; enfin, lord John Drummond fortifiait les bords de la Spey. Rien n'était donc encore désespéré dans la situation de Charles-Édouard s'il eût reçu les renforts qu'il attendait de France.

Cependant l'occasion était encore favorable, si l'on était sérieusement décidé à soutenir la cause des Stuart. Si la retraite de Derby avait produit en France comme en Angleterre une fâcheuse impression sur l'opinion publique, elle s'était promptement effacée quand la vérité avait été connue, et surtout lorsqu'on avait vu cette retraite s'opérer dans le plus grand ordre, entre deux armées ennemies qui deux fois avaient été battues quand elles avaient voulu se mesurer avec celle du prince. Enfin, la prise d'Inverness et les autres avantages remportés par les jacobites dans la mauvaise saison, pendant que le duc de Cumberland se tenait immobile dans ses quartiers d'hiver, avec une armée régulière presque double de celle des montagnards : tout cela, disons-nous, devait exciter au plus haut point la sympathie et l'intérêt du gouvernement français, et le déterminer à secourir efficacement un prince qui avait fait ses preuves, et qu'il n'était pas permis de confondre avec ces aventuriers audacieux capables de compromettre ceux qui s'intéressent à leur cause.

Ces raisons étaient présentes avec force par le marquis d'Éguilles dans sa correspondance ; elles étaient répétées avec non moins d'énergie, à Versailles même, par le frère de Charles-Édouard, le duc d'York, que rien ne pouvait décourager ; mais à ses actives démarches on répondait par la demande de nouveaux éclaircissements, et l'on renvoyait toujours au lendemain pour donner une réponse définitive sur *l'affaire d'Angleterre*.

Sur ces entrefaites arriva en France un nouveau et chaleureux défenseur de la cause jacobite. Le brave Lally, après avoir vaillamment combattu aux côtés de Charles-Édouard à Falkirk, l'avait quitté pour aller ranimer le zèle de ses amis, à Londres, en Irlande et en Espagne. À Londres, où sa tête était mise à prix, il parvint avec peine, en se déguisant en matelot, à échapper aux agents de police chargés de l'arrêter. Il réussit gagner la côte, et à s'embarquer sur un bâtiment contrebandier qui le débarqua près de Boulogne. À peine eut-il touché la terre de France, qu'il courut à Versailles solliciter pour Charles-Édouard les secours tant promis. Cette fois, ce ne fut pas tout à fait en vain ; seulement, il ne fut plus question de l'envoi des dix mille hommes réunis à Dunkerque, à Boulogne et à Calais. Une flotte anglaise qui croisait dans la Manche suffit pour faire changer les vues du cabinet de Versailles. On se contenta de faire partir quelques navires de temps en temps : mais un petit nombre seulement parvinrent à leur destination. «Lorsque quelque petit vaisseau abordait, dit Voltaire, il était reçu avec des acclamations de joie ; les femmes couraient au-devant ; elles menaient par la bride les chevaux des officiers. On faisait valoir les moindres secours comme des renforts considérables.»

Ces faibles renforts étaient loin d'être suffisants pour rendre les forces égales entre les deux partis. Ajoutons que cette grande agglomération d'hommes dans une des contrées les plus pauvres de la pauvre Écosse avait épuisé les vivres ; mais l'armée anglaise, continuellement ravitaillée par mer, avait peu à souffrir de la disette, tandis que Charles-Édouard était forcé chaque jour de permettre à ses montagnards de se disperser au loin pour se procurer des vivres.

Le duc de Cumberland, qui n'ignorait pas ces particularités, résolut d'en profiter pour ouvrir immédiatement les hostilités. Il entra en campagne dans les premiers jours d'avril avec dix mille hommes soutenus par une flotte qui longeait les côtes et qui était chargée de provisions. Le 12, il passa la Spey, malgré lord John Drummond, qui n'avait pas assez de monde pour s'y opposer. Le 14, les Anglais couchaient à Nairn, où ils séjournèrent le 15 pour fêter l'anniversaire de la naissance du duc de Cumberland.

En apprenant les mouvements de l'ennemi, Charles-Édouard avait envoyé des ordres aux divers clans dispersés, pour hâter leur réunion ; près de six mille hommes se rallièrent immédiatement autour de lui et le saluèrent des plus chaleureuses acclamations. Malgré l'infériorité du nombre, le prince n'hésita pas à marcher à la rencontre des Anglais ; il conduisit sa petite armée dans la plaine de Drummossie Muir[5], plus connue sous le nom de Culloden, où il la fit bivouaquer, après l'avoir rangée en bataille.[6] Mais au bout de vingt-quatre heures le manque de vivres dispersa encore une partie de cette armée.

---

[5] *Ou plutôt Drumossie Moor, la lande de Drumossie ; Culloden est le nom du domaine, appartenant aux Forbes, qui a laissé son nom à la bataille.*
[6] *Charles-Édouard laissa le choix du champ de bataille à O'Sullivan, et non à lord Georges Murray, bien meilleur stratège et qui tenta en vain de dissuader le prince d'engager le combat sur ce terrain.*

Cependant on n'était qu'à quinze ou seize milles de Nairn, où était arrêtée l'armée anglaise. Charles-Édouard se crut assez fort pour surprendre son rival par une attaque nocturne, espérant trouver le camp anglais profondément endormi, à la suite de l'orgie qui avait accornpagné la fête ; car, pour la célébrer, le duc avait fait largement distribuer de l'eau-de-vie aux soldats. Deux mille Highlanders seulement répondirent à l'appel. Quand le prince leur eut donné les instructions nécessaires, il fit partir l'avant-garde avec lord Georges Murray, et se mit lui-même à la tête de la seconde colonne. On avait calculé qu'on pouvait arriver au camp anglais vers minuit ; mais les ténèbres retardèrent la marche, et il était deux heures du matin que l'avant-garde était encore trois milles du camp. Lord Georges Murray pensa que la nuit était trop avancée pour tenter une surprise, et il ordonna à ses troupes de rétrograder ; Charles-Édouard se vit forcé d'imiter ce mouvement, et de ramener dans leur première position ses deux mille hommes harassés de fatigue et épuisés par la faim. On se hâta de faire abattre quelques têtes de bétail, et l'on commençait à les dépecer pour les distribuer à chaque compagnie, lorsqu'on aperçut l'armée anglaise arrivant par la route de Nairn et débouchant dans la plaine où se développaient peu à peu ses bataillons.

Charles-Édouard allait se mettre à table lorsqu'on lui annonça l'arrivée de l'ennemi. Oubliant aussitôt la faim qui le tourmentait, il courut se mettre à la tête de ses troupes. Déjà le canon d'alarme avait rappelé les Highlanders dispersés dans le voisinage ; ils accoururent en hâte rejoindre leurs camarades. On vit arriver aussi les Macdonalds et les Frasers, qu'on n'attendait point parce qu'on les croyait trop loin. Mais il manquait encore à l'armée jacobite les MacPhersons de Cluny, les MacGregors de Glengyle, une multitude de Glengarys et le clan presque entier des MacKenzies. Ainsi, Charles n'avait guère que six mille hommes opposer aux dix mille de son adversaire ; mais il n'était pas accoutumé à calculer ses forces par le nombre. Cependant les chefs qui l'entouraient cherchèrent à le dissuader de livrer bataille dans des conditions si désavantageuses ; on lui représenta que dans trois jours son armée serait accrue du double, et qu'il avait d'ailleurs la certitude de vaincre en détail, par de continuelles escarmouches, cette armée anglaise si imprudemment égarée dans les Highlands. L'envoyé de France, le marquis d'Éguilles, dans un entretien particulier qu'il eut avec lui, se jeta ses genoux pour le supplier de ne pas hasarder sa fortune dans un seul jour et dans un seul combat qui, s'il lui était défavorable, le laisserait sans ressources. Charles resta inébranlable ; pour la première fois peut-être, il eut tort de résister aux conseils de la prudence ; il n'écouta que l'irritation qu'excitaient en lui la retraite de la nuit, sa confiance en l'impétuosité des montagnards, son mépris pour les troupes anglaises, le besoin qu'il avait d'une victoire pour assurer définitivement le succès de son entreprise. La plaine de Drummossie Muir ou de Culloden est une vaste bruyère à deux milles du rivage méridional du golf de Moray, à cinq milles d'Inverness et dix milles de Nairn. Elle s'étend de l'est à l'ouest sur une surface peu près plane. L'armée jacobite avait Inverness derrière elle, une chaîne de montagnes et la rivière Nairn à droite, et la mer avec les parcs de Culloden à gauche. Il existe une certaine analogie entre la plaine de Culloden et celle de Preston ; mais la position des deux armées était renversée, de manière que la partie la plus haute du terrain, à Culloden, était occupée par l'armée anglaise.

L'armée jacobite était formée sur deux lignes, la première composée des Highlanders, la seconde des régiments des basses terres et des bataillons irlandais et français. Quatre pièces de canon étaient placées à chaque extrémité du front de bataille, et quatre au centre. À droite de la première ligne était un escadron de gardes à cheval, et à la gauche de la seconde les chevaux légers de Fitz-James. Le reste de la cavalerie faisait partie de la réserve, sous les ordres de lord Kilmarnock.

Le duc de Cumberland s'avança avec la confiance d'une force supérieure. Il fit halte à un mille de l'ennemi, et présida à ses dernières dispositions. Ses troupes étaient divisées en trois lignes parallèles de quatre régiments chacune, de manière que si, par l'impétuosité de leur attaque, les Highlanders venaient à rompre la première, leur choc serait probablement brisé sur la seconde, et bien certainement sur la troisième. De plus, il avait apporté à la vieille théorie du maniement des armes des modifications nécessaires pour résister à la manière d'attaquer des montagnards. En effet, quand ceux-ci chargeaient les troupes régulières, ils recevaient la pointe de la baïonnette dans leur bouclier, l'écartaient facilement du bras gauche, et de la main droite armée de la claymore, ils frappaient mortellement leur antagoniste. Cumberland apprit à chaque fantassin anglais à diriger sa baïonnette non plus contre l'homme qui lui était opposé, mais obliquement, contre celui qui faisait face à son camarade de droite, afin d'éluder la résistance du bouclier à l'aide duquel l'Écossais assenait toujours ses premiers coups.

Au moment d'en venir aux mains, le duc publia un ordre du jour qui, faisant allusion aux lâchetés de Prestonpans et de Falkirk, menaçait de la peine de mort tout soldat qui prendrait la fuite pendant la bataille; puis, voulant rendre les lâches ou les traîtres sans excuses, il ajoutait que cependant tous ceux qui voudraient se retirer avant le combat pouvaient le faire librement. Ainsi qu'il s'y attendait, cette proposition fut repoussée par des acclamations d'enthousiasme et les cris de «Flandre! Flandre!» pour lui rappeler qu'en Flandre, où ils avaient déjà combattu sous les ordres du duc, si campagne n'avait pas toujours été heureuse, du moins elle avait été exempte de honte.

Aussitôt le signal est donné. L'armée anglaise marche en bon ordre et franchit un marais, terminé par un fossé, à cinq cents pas de l'armée écossaise. Celle-ci, de son côté, s'avançait en colonnes serrées, mais les montagnards observèrent avec un pressentiment funeste que le ciel, qui leur avait été favorable à Falkirk, semblait se déclarer contre eux. En effet, un de ces orages si fréquents en cette saison vint tout à coup à éclater, le vent souffla avec violence du nord-est, et lança aux visages des montagnards une neige mêlée de pluie. Les Anglais sentirent encore redoubler leur ardeur, et déjouèrent tous les efforts tentés par Charles-Édouard pour tourner leur position.

Le prince, remarquant que les Anglais avaient l'avantage du terrain et du vent, eût voulu voir leurs colonnes s'ébranler les premières. Pour les décider à l'attaquer, il fit commencer la canonnade par ses artilleurs, qui, calculant à faux la distance, firent si peu de mal aux troupes du duc de Cumberland, que celui-ci affecta d'abord de ne pas y faire attention. Mais bientôt les batteries anglaises ripostèrent avec plus d'effet; un homme fut tué à côté de Charles-Édouard; des rangs entiers furent emportés par les boulets. Ces ravages firent impression sur les montagnards qui, voyant tomber un grand nombre des leurs, s'impatientaient de ne pas recevoir le signal de marcher en avant.

Enfin, Charles-Édouard envoya un aide de camp porter à lord Georges Murray l'ordre d'avancer; l'aide de camp fut tué par un boulet avant d'avoir accompli sa mission. Mais Murray l'avait deviné; et il allait donner le signal de l'attaque générale, quand lady MacIntosh (car il y avait plusieurs femmes qui combattaient dans l'armée du prince), voyant tout son clan frémir de colère, fit un geste, et à l'instant les Macintosh, se détachant du centre de la première ligne, fondirent les premiers à travers la neige et la fumée sur les Anglais. Les clans d'Athol et de Cameron, les Stuarts, les Farquharsons et les Macleans suivirent de près les MacIntosh, en poussant un cri de guerre terrible, qui s'éleva au-dessus du fracas de la mousqueterie et du canon ; les Macdonalds ne répondirent pas à l'impulsion des autres clans, et l'attaque, quoique furieuse, manqua d'ensemble. Cependant le premier rang des Anglais fut renversé par le choc impétueux des montagnards, mais ceux-ci tombèrent en même temps percés par les baïonnettes de leurs ennemis. Alors le second rang des Anglais ouvrit un feu croisé, presque à bout portant, sur ceux des montagnards qui s'avançaient au secours des premiers ; cette décharge meurtrière porta le désordre dans les rangs des assaillants, qui commencèrent à reculer. Les Macdonalds firent alors une décharge mal nourrie, et battirent eux-mêmes en retraite. Leur chef seul, son neveu et son écuyer, se firent tuer pour ne pas survivre à la honte de leur clan.

Charles-Édouard, voyant sa première ligne repoussée, comptait encore sur la valeur de ses régiments des basses terres et des Français. Il allait se mettre à leur tête pour arrêter l'infanterie anglaise, lorsque les piquets du Royal-Irlandais firent reculer les dragons de Cobham, qui commençaient à poursuivre les Macdonalds. On put croire que les montagnards allaient se rallier ; mais comme si toute leur fougue s'était épuisée dans leur premier choc, au lieu de fondre sur les dragons qui commençaient à tourner bride, et dont la fuite eût jeté le désordre dans les régiments anglais, ils lâchèrent pied en voyant s'avancer en bon ordre la masse compacte de l'infanterie ennemie. En vain Charles-Édouard, accourant au milieu d'eux, leur criait-il : « Courage ! mes enfants, courage ! il dépend encore de nous de vaincre ! » il n'en recevait pour toute réponse que ce cri lugubre, par lequel les montagnards expriment leur désespoir : « Ochon ! ochon ! » hélas ! hélas !

Cependant Charles-Édouard, entouré de fuyards, restait immobile sur le champ de bataille ; il versait des larmes de rage et de désespoir, et semblait résigné à la mort. Lord Elcho s'approcha de lui : « Prince, dit-il, encore un effort ! » Mais les officiers irlandais entraînèrent lord Elcho et le prince, couverts de sang et de poussière.

La déroute fut complète : heureusement, la cavalerie anglaise ayant fait halte au moment où elle allait envelopper le reste de l'armée jacobite et poursuivre les fuyards, ceux-ci se partagèrent en deux troupes inégales, dont l'une prit la route d'Inverness, et l'autre, tournant au sud-ouest, traversa la rivière du Nairn et se dispersa dans les montagnes.

La cavalerie légère du duc de Cumberland se mit à la poursuite de ceux qui se dirigeaient sur Inverness, et tous les montagnards qu'elle put atteindre furent impitoyablement égorgés. Déjà l'ennemi approchait des faubourgs, lorsque le marquis d'Éguilles, rassemblant tous les Français qui avaient pris la même direction, protégea la fuite des derniers montagnards, et, faisant croire aux Anglais qu'Inverness était en état de défense, il envoya au duc de Cumberland un officier avec un tambour pour offrir de capituler. Il fut reçu prisonnier de guerre avec tous les officiers et soldats étrangers. Plusieurs Irlandais passèrent pour être de sa suite, et furent compris dans la capitulation[7].

Charles-Édouard, toujours entraîné par ses fidèles officiers, traversa le Nairn au gué de Palie, et divisant sa suite en divers détachements qui prirent différentes routes, il se dirigea vers le manoir de Gortuleg, qu'il avait indiqué pour lieu de rendez vous à ses amis.

---

[7] *Mémoires et correspondance du marquis d'Éguilles. M. Amédée Pichot,* Hist. du prince Charles-Édouard *t. I, p. 213 et suivantes.*

Chapitre XII

La victoire du duc de Cumberland était complète; mais il la souilla par des cruautés inouïes, que les partisans de la maison de Hanovre ont vainement essayé de pallier en disant que ce n'était point ici une guerre ordinaire, mais une rébellion qu'il fallait étouffer à tout prix. Les soldats anglais, sur l'ordre de leur général, achevaient les blessés sur le champ de bataille et mutilaient les morts: «ils trempaient les mains dans les flots du sang, et s'en jetaient les uns aux autres les éclaboussures, comme des écoliers jouent quelquefois avec l'eau des ruisseaux.» Un des officiers anglais avoue lui-même dans la relation qu'il a écrite de cette journée, «qu'ils ressemblaient plutôt à des bouchers qu'à des soldats chrétiens.»

Le duc et son armée entrèrent enfin à Inverness; mais tout en arrivant il fit pendre un certain nombre de ses prisonniers, après un simulacre de jugement militaire. Le lendemain, les Anglais retournèrent sur le champ de bataille pour voir si quelques blessés qu'ils avaient laissés à dessein tout nus et exposés aux intempéries de l'air, avaient survécu. Quelques-uns respiraient encore; ils furent égorgés. Le surlendemain, on fit une perquisition exacte dans les chaumières voisines où l'on pouvait supposer que quelques malheureux blessés avaient cherché un refuge. On en trouva effectivement quelques-uns, qui furent impitoyablement massacrés. D'autres s'étaient traînés dans une espèce de grange à bestiaux, où des bergers compatissants avaient osé panser leurs blessures[1]. Les portes furent fermées en dehors sur les Highlanders et sur ceux qui en avaient eu pitié; puis, la grange ayant été cernée afin que personne n'échappât, elle fut livrée aux flammes.

[1] Il s'agit de la ferme de Old Leanach, maintenant reconstruite.

Dix-neuf officiers des clans avaient été reçus dans la cour d'une ferme de Culloden House, après avoir erré tout sanglants dans un bois voisin pendant deux jours : attachés avec des cordes et durement secoués sur une charrette, ils furent conduits contre un mur d'enclos et fusillés, et leurs meurtriers leur brisèrent encore le crâne avec la crosse de leurs fusils ; un seul survécut par hasard à cette boucherie, et fut délivré par le comte de Kilmarnock, qui, passant de ce côté, entendit des gémissements.

Tel fut, pendant les premiers jours, le sort de ceux qui tombèrent entre les mains des vainqueurs. La plupart de ceux qui leur échappèrent ne furent guère plus heureux ; car, chassés dans les campagnes comme des bêtes fauves, après des privations et des souffrances atroces, ils finissaient par tomber sous une balle ou sous des coups de baïonnette ; ou bien, si on les jetait en prison, on leur faisait subir une espèce de jugement, et on les envoyait à l'échafaud.

Charles-Édouard, entraîné, comme nous l'avons dit, par des officiers irlandais, avait abandonné le champ de bataille quand tout espoir de résistance eut été perdu ; il gagna, toujours accompagné des mêmes officiers, le manoir de Gortuleg, habité par le vieux lord Lovat, chef du camp des Frasers, dont le fils, à la tête de son clan, venait de combattre à Culloden. Le prince espérait non seulement trouver un asile sûr dans ce château, mais il avait compté sur l'expérience et sur le génie plein de ressources de ce vieillard pour en recevoir d'utiles conseils dans la fâcheuse extrémité où il était réduit. Mais le malheureux vieillard fut tellement abasourdi par la nouvelle du désastre de Culloden, qu'il ne répondit au prince que par des lamentations et des cris de désespoir. Il voulait mourir, disait-il, et il demandait comme une grâce à ceux qui l'entouraient, de lui trancher la tête. Tout le monde était consterné d'une telle douleur, et gardait le silence. Charles-Édouard seul essaya de le calmer en lui parlant de la bravoure de son fils et des Frasers.

Les paroles du prince parurent adoucir un peu ce violent désespoir, et lady Gortuleg, pour faire diversion, invita Son Altesse à accepter quelque nourriture et à prendre un peu de repos. On se rappelle que Charles-Édouard avait passé la nuit dans une tentative d'expédition qui n'avait pas réussi, et qu'au retour, au moment même où il se préparait à prendre son repas du matin il avait fallu monter à cheval et songer à livrer, bataille. Il accepta donc l'offre de lady Gortuleg, mangea à la hâte une aile de volaille et dormit une heure ou deux d'un sommeil agité.

À son réveil, il vit arriver une partie de son escorte. Entouré de ces fidèles serviteurs, Charles-Édouard délibéra avec eux sur le parti qu'il y avait à prendre. Il tenta encore une fois d'appeler le vieux lord Lovat à ce conseil ; mais celui-ci n'était pas encore remis de la secousse violente qu'il avait éprouvée, et il ne prit aucune part à la délibération. Après quelques débats, on convint que Gortuleg était trop proche des troupes anglaises pour que le prince pût y rester en sûreté, et qu'il serait plus prudent de se diriger vers les bords de la mer. Cet avis, dicté par la prudence, fut accueilli à l'unanimité. Le prince, en y souscrivant, comprit avec douleur que ses plus zélés partisans regardaient sa cause comme perdue ; son rôle de prétendant avait cessé, et il allait commencer celui de prince fugitif. Dans sa nouvelle position, il ne pouvait garder une escorte aussi nombreuse sans danger pour elle et pour lui ; aussi il crut devoir la licencier en ces mots : « Messieurs, avec tant de braves gens autour de moi, je ne saurais m'accoutumer au rôle de fugitif, et d'ailleurs, je n'ai pas d'argent. Que chacun s'occupe de sa sûreté particulière. Mais, ajouta-t-il en essuyant une larme, si vous et moi nous parvenons à gagner une terre étrangère, j'userai du peu de crédit que j'y trouverai pour vous obtenir du service et un grade digne de chacun de vous. »

Après ces pénibles adieux, Charles ne garda auprès de lui que sept compagnons ; et montant à cheval, il prit la route d'Invergary, résidence du chef d'un clan des MacDonalds. Il arriva deux heures avant le jour sur les bords du lac Gary, près du manoir où il voulait se rendre. Un vieux montagnard était resté seul dans la résidence de son chef, et il reçut les fugitifs sans les connaître. Le prince dormit tout habillé dans ce manoir solitaire, où il y avait une telle rareté de provisions qu'il n'y eut pour apaiser sa faim que deux saumons pris dans le Gary par Édouard Burke, domestique d'Alexandre MacLeod, qui s'était attaché à lui. Cet Édouard Burke, serviteur intelligent, et qui connaissait la contrée, devint le guide de la petite troupe. Il changea d'habits avec Charles-Edouard avant de quitter Invergary, pour se rendre dans le pays de Lochiel. Ils frappèrent le soir sur les neuf heures à la maison d'Achnacarrie[2], habitée par un Cameron qui leur donna l'hospitalité. Telle était la lassitude du prince, qu'il s'endormit sur sa chaise pendant que Burke lui déboutonnait ses guêtres. Mais le lendemain, le bruit se

---

[2] *Achnacarry se trouve en fait sur un isthme entre le loch Lochy et le loch Arkaig.*

répandait déjà que le clan ennemi des Campbells s'avançait vers le Loch Arkaig, sur lequel est situé Achnacarrie. Les fugitifs, accompagnés de leur hôte, se retirèrent à l'extrémité du pays des Camerons, où ils furent bien accueillis dans le hameau de Mewbil.

Après avoir vainement attendu pendant près de vingt-quatre heures des nouvelles de leurs amis, ils s'éloignèrent du côté d'Oban, obligés d'abandonner leurs chevaux, car désormais il n'y avait plus de route ; il leur fallait continuellement franchir des torrents et gravir des rochers escarpés. Ils restèrent cachés dans une cabane sur la lisière d'un bois ; et le 20 avril, Charles-Édouard, traversant de nouvelles montagnes, parvint avec trois compagnons jusqu'au petit village de Glenbiasdale, dans le canton de Moidart, où il avait débarqué plein d'espérance quelques mois auparavant. Ce fut là que plusieurs proscrits vinrent de nouveau se réunir à lui, et qu'il apprit que plus de mille hommes dévoués l'attendaient à Badenoch, sous les ordres de lord Georges Murray, qui les y avait ralliés. Il reçut en même temps un agent de celui-ci qui engageait le prince à venir le rejoindre.

Il tint conseil à ce sujet avec les fidèles amis dont il était entouré ; tous opinèrent qu'il fallait que le prince se réservât pour des temps meilleurs, et qu'il se retirât dans les Hébrides, où il trouverait facilement un asile jusqu'à ce qu'il pût s'embarquer sur un vaisseau français qui le ramènerait sur le continent. Sullivan, qui haïssait Murray, alla plus loin : il soutint que sa proposition était un piège, et que lord Georges était un traître, prêt à livrer, le prince à ses ennemis. Charles-Édouard, sans ajouter foi à l'opinion de Sullivan, était prévenu depuis longtemps contre lord Georges Murray, à qui il attribuait la funeste retraite de Derby. Il lui fit répondre que, «ne voulant pas prolonger la campagne, il licenciât les troupes réunies à Badenoch, et qu'il pourvût pour lui-même à sa sûreté.» Charles-Édouard ne songea plus dès lors qu'à gagner les Hébrides, et il attendit pendant quatre jours un montagnard nommé Donald MacLeod, qu'on avait envoyé chercher à l'île de Skye, pour lui servir, de guide dans cet archipel.

Tandis que le prince achevait de licencier son armée, le duc de Cumberland s'occupait sans relâche d'en poursuivre et d'en anéantir les débris. Les régiments anglais et les soldats de milice, divisés en détachements plus ou moins nombreux, furent échelonnés de manière à traquer, pour ainsi dire, les victimes. Alors commença, selon l'expression d'un historien, «la chasse aux rebelles.» Après une proclamation qui invitait tous les jacobites à remettre leurs armes et à se livrer eux-mêmes à la merci du roi, le duc de Cumberland fit marcher sa justice militaire dans tous les cantons où elle put pénétrer. Il quitta Inverness, et vint établir son camp sous les remparts du fort Augustus. Ce fut le point central d'où ses soldats allèrent dans tous les sens porter le fer, et la flamme sur le territoire des montagnards. Les habitations étaient incendiées, et tout homme qui fuyait à l'approche de la dévastation était par ce seul fait convaincu de rébellion, poursuivi et exécuté. Les troupeaux étaient enlevés et conduits au camp; les malheureux propriétaires, leurs femmes ou leurs enfants orphelins les suivaient quelquefois, espérant en recouvrer une partie en touchant le duc par le spectacle de leurs misères; on les laissait mourir de faim à côté de leurs bestiaux égorgés. Bientôt les horribles malédictions des fanatiques presbytériens furent réalisées: à dix lieues à la ronde, dans ces vallons dépeuplés, on eût cherché vainement la fumée d'un toit, on eût écouté vainement pour entendre un coq chanter[3]. »

Pendant qu'on portait la dévastation et la ruine dans les campagnes, les prisons se remplissaient de tous les chefs et des officiers que leur rang dans l'armée jacobite désignait aux angoisses plus longues d'un procès en trahison, et à la hache des bourreaux anglais. Les premiers arrêtés furent le comte de Cromarty, le comte de Kilmarnock, lord Lovat, lord Balmerino et une foule d'autres.

Il paraissait bien difficile que le plus illustre de tous ces fugitifs ne tombât pas entre les mains de ses vainqueurs. Le duc de Cumberland avait juré de s'en emparer mort ou vif: «Messieurs, disait-il à ses agents, point de prisonniers: vous me comprenez?» Et pour exciter encore leur zèle, il leur rappelait que la tête du prétendant était mise à prix moyennant trente mille livres sterling (sept cent cinquante mille francs de notre monnaie), somme énorme pour cette époque, et que l'on regardait comme une tentation irrésistible pour la pauvreté écossaise. Aussi, les limiers de la persécution parcouraient l'Écosse en tous sens pour chercher les traces d'une si riche proie. Nous allons voir que de fatigues et de dangers eut à supporter celui qui était l'objet de cette poursuite acharnée pour dépister ses persécuteurs.

---

[3] M. Amédée Pichot, Hist. du prince Charles-Édouard, t. II, p. 233.

Depuis quatre jours Charles-Édouard attendait celui qui devait lui servir de guide et de pilote. Tout à coup le bruit se répandit qu'un nombreux détachement d'ennemis approchait ; tous ceux qui entouraient le prince se dispersèrent, et le prince lui-même s'était réfugié dans une forêt, où il errait tristement, lorsqu'il aperçut un vieux montagnard qui s'avançait de son côté. Par un heureux pressentiment, il devina que c'était le guide qu'il attendait : « N'êtes-vous pas de l'île de Skye, lui dit-il, et ne vous nommez-vous pas Donald MacLeod de Guatergill[4] ? — Oui, répondit le montagnard. — Eh bien ! reprit Charles, c'est moi qui vous ai mandé ; vous voyez devant vous votre prince qui se jette dans vos bras et vous confie sa destinée. » Longtemps après, le vieil insulaire ne pouvait répéter sans verser des larmes les circonstances de cette première entrevue avec un prince qui n'avait plus d'autre grandeur que celle de l'infortune.

Prévoyant, par quelques signes à l'horizon, qu'un orage se préparait, le vieillard supplia Charles-Édouard de différer son voyage jusqu'au lendemain ; mais le prince redoutait plus ses ennemis que les éléments, et il voulut partir le soir même, 24 avril, dans un bateau découvert à huit rames. Avec lui se trouvaient Sullivan, O'Neil, Édouard Burke et sept autres fugitifs. Donald MacLeod, faisant l'office de pilote, était assis au gouvernail. Mais à peine étaient-ils en mer, que le présage du vieil insulaire s'accomplit : une affreuse tempête vint soulever les vagues ; la pluie qui tombait par torrents, les ténèbres de plus en plus épaisses, le manque de boussole et de pompe, faisaient craindre que la barque ne fût engloutie ou jetée sur les plages de l'île de Skye, une des plus considérables des Hébrides, où des patrouilles nombreuses d'ennemis veillaient sans cesse sur les rivages. En dix heures, la tempête avait fait parcourir un espace de plus de cent milles à la barque. Elle aborda au point du jour à l'île de Benbecula, située entre les deux îles de Wist[5], et qui forme avec elles ce qu'on appelle Long Island, la Longue Île, parce qu'en effet ces trois îles, avec quelques autres îlots, semblent n'en former qu'une seule séparée par d'étroits canaux.

On chercha en débarquant un abri pour mettre le prince à couvert, et l'on ne trouva qu'une vacherie sans porte ; ce fut là son palais. Sa couche consista en un peu de paille recouverte d'un lambeau de voile,

---

[4] *Galtrigill (ou Galdrigile, Galtrigil, Gaultergil), sur la rive ouest du Loch Dunvegan.*
[5] *North Uist et South Uist.*

et le banquet royal se composa de farine d'avoine délayée dans l'eau et de crabes pêchés entre les rochers. Le lendemain cependant, Charles-Édouard et sa suite firent un meilleur souper avec quelques tranches de viande provenant d'une vache égarée que ses compagnons avaient tuée et dépecée aussitôt.

La tempête dura encore quatorze heures, et ce fut seulement le mardi, 29 avril, que Charles-Édouard et ses fidèles compagnons purent quitter cette île, presque déserte, pour se diriger sur celle de Lewis, dans le port de laquelle ils avaient l'espoir de trouver un navire français ou un autre qui pourrait les conduire sur le continent; mais une nouvelle tempête repoussa la barque jusqu'à l'îlot de Glass[6], à quarante milles de Benbecula et à une égale distance du port de Lewis.

Les fugitifs, se défiant des sentiments de la population de Glass, se donnèrent pour des marchands qui avaient fait naufrage en se rendant aux Orcades. Sullivan prit le nom de Saint-Clair, et le prince passa pour son fils. Ils reçurent l'hospitalité chez un fermier, Donald Campbell, qui prêta son bateau à Donald MacLeod pour aller à la découverte jusqu'à Stornoway, nom du port de l'île de Lewis. Il ne tarda pas à donner de ses nouvelles, et il pressa Charles-Édouard de venir le joindre. Le 3 mai, le prince partit; mais le vent contraire le força de débarquer à trente milles plus loin que Stornoway, où il fallut se rendre à pied. Égaré par son nouveau guide, Charles-Édouard n'arriva que le soir à la pointe d'Ayinich, à un mille de Stornoway, et n'osa pas aller plus loin sans avoir fait prévenir Donald MacLeod. Celui-ci accourut en toute hâte avec des provisions, mais de tristes nouvelles. Les habitants de Stornoway, avertis de l'approche du prince par un zélé ministre presbytérien de l'île de Wist, l'attendaient avec des intentions hostiles; Donald avait d'abord essayé de persuader à ces insulaires que le prince était hors d'état de leur nuire, comme on le leur avait dit; mais, les voyant incrédules, il en appela à leurs craintes mêmes, en les menaçant de la vengeance des Français et des partisans des Stuart, s'ils manquaient envers lui des égards dus à son rang et à son malheur. Ramenés à des intentions plus pacifiques, ils s'engagèrent à feindre d'ignorer que le prince fût si près d'eux, mais à condition qu'il s'éloignerait au plus vite. MacLeod, après avoir donné ces renseignements à Charles-Édouard, le fit entrer avec sa suite dans la maison de MacKenzie de Kildun pour y passer

[6] *Probablement Eilean Glas, îlot sur la côte ouest de l'île de Scalpay.*

la nuit, annonçant qu'il viendrait les prendre le lendemain de bonne heure pour fuir dans une autre direction.

Charles-Édouard engagea Édouard Burke, chargé de la cuisine, à s'occuper promptement de leur frugal souper, afin qu'ils pussent reposer quelques heures avant leur départ. Mais Burke, effrayé des dispositions des habitants de Stornoway, proposa de se retirer dans les marais plutôt que de passer la nuit dans cette maison. «Mon ami, répondit le prince, si vous avez peur vous gâterez notre souper. Si c'est moi qui vous inquiète, soyez tranquille ; on ne me prendra jamais en vie, et malheur à celui qui m'approchera le premier ! mais chaque chose à son tour : c'est le souper maintenant qui est le plus pressé. »

Au moment de se coucher, le prince eut la fantaisie de faire un inventaire de sa garde-robe et de celle des quatre compagnons qu'il avait encore avec lui : il se trouva qu'ils n'avaient plus que six chemises entre eux cinq.

Dès que le jour parut, le bateau dans lequel Charles-Édouard était venu à Lewis fut mis en mer ; après une navigation de quelques heures, on aperçut quatre navires anglais. À cette vue les fugitifs s'empressèrent de chercher un refuge dans la petite île d'Iffurt[7], près de Harris. À leur approche, les pêcheurs, seuls habitants de cette île, les prenant pour les hommes des équipages anglais chargés de presser[8] des matelots, se retirèrent effrayés dans l'intérieur des terres, leur abandonnant sur la plage les poissons qu'ils faisaient sécher.

La présence des vaisseaux anglais retint les proscrits quatre jours entiers dans une hutte sans toiture. De là ils se rendirent de nouveau à Glass, et en furent repoussés par quatre voleurs qui voulaient s'emparer du bateau. Retenus en mer par un temps calme, ils eurent pour toute boisson l'eau salée dans laquelle ils mêlaient quelques gouttes d'eau-de-vie. Ils rôdaient d'une baie à une autre le long de cette suite d'îles comprises sous le nom général de Long Island, quand leur trace fut signalée. Bientôt Long Island fut investie par plusieurs navires de guerre, tandis que mille hommes de milice faisaient à terre les perquisitions les plus rigoureuses. Pendant trois heures entières un vaisseau donna la chasse au bateau de Charles-Édouard, qui ne lui échappa qu'à la faveur

---

[7] *Aussi appelée Eurin.*

[8] *Un des moyens usités en Angleterre pour recruter la marine royale consiste, dans les cas urgents, à enlever de force tous les habitants des côtes qui paraissent susceptibles, par leur âge et leur constitution, de devenir marins. Ce mode de recrutement se nomme* presse.

des rochers de l'île de Harris; mais à peine ce danger fut-il évité, qu'un autre bâtiment de guerre se mit à la poursuite de la frêle embarcation, et la serra de près jusqu'à Benbecula. Le prince aborda cette île pour la seconde fois, et dès qu'il eut touché terre, une violente tempête s'éleva et dispersa tous les navires qui cernaient la côte. «C'en est fait! s'écria-t-il, la providence, a décidé que ma vie n'aura rien à redouter du fer anglais ni de la mer! »

Charles-Édouard et ses compagnons n'eurent d'abord pour toute nourriture que les coquillages qu'ils ramassaient sur le bord de la mer, et pour toute habitation qu'une hutte dont la porte était si basse et le seuil si enfoncé dans le sable qu'il fallait ramper pour y entrer. Réduit à cette extrémité, Charles-Édouard résolut de faire appel au dévouement des partisans qu'il avait dans ces parages, mais à qui il n'avait encore osé s'adresser de peur de les compromettre. Il savait que le vieux chef de Clanranald, dont le fils avait combattu à Culloden, habitait Long Island. Il lui envoya le fidèle Burke pour l'inviter à une entrevue, et il chargea MacLeod d'aller dans le Lochaber avec des lettres pour Lochiel et le secrétaire Murray de Broughton.

Clanranad se rendit la nuit suivante auprès du prince. Il était accompagné du précepteur de ses enfants, Niel MacDonald, surnommé Niel MacEachan (le serviteur fidèle). Ils furent émus de pitié en reconnaissant Charles-Édouard couché dans une espèce de tanière comme une bête fauve. Ses vêtements étaient en lambeaux; Clanranald lui procura de nouveaux habits, et le fit conduire dans une petite maison de campagne située à Corodale, petit vallon au centre de South-Wist. Le prince déclara à Niel MacDonald, qui lui avait servi de guide et qui était resté avec lui, que sa nouvelle demeure lui semblait un palais en la comparant aux huttes et aux cavernes qui lui avaient si souvent servi de demeure.

Au bout de dix-huit jours, MacLeod rejoignit le prince, apportant des lettres de Lochiel et de Murray de Broughton. Le premier donnait au prince quelques paroles de consolation et lui marquait toujours l'attachement le plus dévoué. Quant au second, à qui Charles avait demandé de l'argent, il répondit qu'il avait à peine de quoi fournir à ses propres besoins.

Du reste, le séjour de Charles-Édouard à SouthWist fut une trêve bienfaisante apportée à ses souffrances. Ayant trouvé dans cette île presque autant de partisans que d'habitants, grâce à l'influence de Clanranald, il passait souvent la journée à la chasse ou à la pêche dans une entière sécurité, comme s'il eût été en France ou en Italie. Lady Clanranald et lady Margaret MacDonald veillaient à ce que rien ne lui manquât, avec cette sollicitude et ces attentions délicates qui n'appartiennent qu'aux femmes. Elles n'osaient pourtant pas, dans la crainte de le compromettre, venir le, visiter elles-mêmes ; mais elles avaient un intermédiaire actif, intelligent et dévoué, dans Niel MacDonald, attaché désormais à la fortune du prince, et qui devait le suivre plus tard en France, où sa famille était appelée à jouer un rôle si brillant[9]. On va voir que ces précautions n'avaient rien d'exagéré.

Un soir que Burke avait préparé avec soin un daim tué par le prince, un jeune mendiant, attiré par l'odeur du repas, vint sans cérémonie s'asseoir à côté de Charles-Édouard pour en prendre sa part. Burke, plus sévère sur l'étiquette que le prince lui-même, allait secouer rudement cet intrus effronté ; mais Charles-Édouard le défendit en disant : « Mon ami, souviens-toi de l'Écriture, qui nous ordonne de nourrir ceux qui ont faim et de vêtir ceux qui sont nus ; laisse manger cet homme, et puis tu lui donneras un vêtement pour se couvrir. Burke obéit, et le prince ajouta : « Jamais nous ne devons permettre qu'un chrétien périsse faute de nourriture et de vêtements, tant que nous pouvons l'empêcher. »

Malheureusement sa charité était mal placée : le mendiant alla dénoncer comme suspects les inconnus qui lui avaient fait si généreusement l'aumône. Ils furent avertis à temps ; mais il leur fallut recommencer leur vie errante d'une île à l'autre, pour revenir encore à South-Wist et puis dans l'îlot voisin de Benbecula. Charles-Édouard y retrouva lady Margaret et lady Clanranald toujours aussi empressées à prodiguer leurs secours ingénieux pour entourer le prince des précautions qu'exigeait sa sûreté.

Cependant c'étaient chaque jour de nouvelles alarmes, causées tantôt par les perquisitions des soldats de milice, tantôt par celles d'un certain capitaine Scott, ardent à stimuler leur zèle. Sullivan, Édouard Burke et Donald MacLeod avaient dû se séparer du prince, avec qui il ne restait plus que O'Neil et Niel MacDonald. En même temps que les patrouilles de terre redoublaient de vigilance, les croisières anglaises, plus nombreuses, surveillaient les côtes avec plus d'activité. Il paraissait

---

[9] *Niel Macdonald avait fait ses études dans un séminaire en France. Il s'y établit après l'évasion de Charles-Édouard. C'était le père de l'illustre maréchal Macdonald, duc de Tarente.*

impossible aux proscrits de s'échapper de l'île, où ils étaient enveloppés de toutes parts. Mais la providence envoya au prince un ange sauveur pour le soustraire au danger qu'il courait.

Il y avait alors dans l'île de South-Wist une jeune fille remarquable par sa beauté, mais plus encore par son esprit, sa modestie, sa piété et la bonté de son cœur. Son nom était Florence, ou plus familièrement Flora MacDonald ; elle était fille de MacDonald de Milton de South-Wist, mort depuis plusieurs années, et dont la veuve, mère de Flora, avait épousé en secondes noces MacDonald d'Armadale, de l'île de Skye.

Flora avait reçu l'éducation bien simple des jeunes Écossaises de son rang, mais elle possédait quelque chose de plus solide que les agréments des éducations moderne : les principes de morale que donne une religion éclairée, le respect de soi, qui fait la sagesse des femmes, et les sentiments plutôt que les belles manières de la vraie noblesse. Les relations de sa parenté l'obligeaient souvent à faire quelques excursions de Skye, où habitait son beau-père, à South-Wist, où elle allait visiter tantôt son frère à Milton, tantôt lady Clanranald à Ormaclade. Elle faisait ces petits voyages avec la liberté dont jouissent encore les jeunes filles de ce pays, soit seules, soit accompagnée d'une servante.

O'Neil avait souvent rencontré et remarqué Flora chez lady Clanranald ; il s'était bientôt aperçu que le récit des infortunes des proscrits l'intéressait vivement ; il savait du reste que toute sa famille était zélée jacobite, à l'exception toutefois de son beau-père, Hugh MacDonald ; mais encore passait-il pour affecter plus de zèle pour la maison de Hanovre qu'il n'en ressentait réellement.

Un jour qu'O'Neil voyait Flora plus attendrie que d'ordinaire en l'entendant parler des périls qui menaçaient le prince fugitif, il lui dit : «Ce prince auquel vous donnez des larmes peut vous devoir son salut ; les dames d'Écosse ont beaucoup fait pour sa cause : vous ferez plus encore en l'arrachant de cette île, où chaque jour sa perte devient de plus en plus inévitable.»

Flora demanda d'abord comment une jeune fille comme elle pourrait rendre un tel service ; mais bientôt son dévouement surmontant sa défiance d'elle-même, elle s'écria : «Dieu et le péril m'inspireront ; procurez-moi une entrevue avec Son Altesse Royale !»

O'Neil fit observer que telle était la position de son maître, qu'il était indispensable que ce fût miss Flora qui se rendît auprès de lui, et il offrit de la conduire ; Flora exigea que Niel MacDonald, le précepteur, l'accompagnât, et tous trois s'acheminèrent vers une espèce de caverne où l'illustre proscrit se tenait caché.

Quand Flora lui fut présentée, à peine pouvait-elle croire que ce fût là le prince dont on vantait partout la bonne mine et la beauté. Sa maigreur était extrême, ses yeux caves, ses vêtements souillés de poussière. Flora s'avança pour lui baiser la main, et Charles-Édouard se vit forcé de refuser cet hommage, car sa main était atteinte d'une éruption contagieuse. Flora, en voyant le dénûment et la misère du fils de ses rois, répandit d'abondantes larmes ; elle lui remit, toujours en pleurant, quelques provisions et du linge blanc qu'elle avait apporté dans son panier. Charles-Édouard la remercia avec bonne humeur, et bientôt sa gaieté la força de sourire.

Flora le quitta, en promettant de revenir dès qu'elle serait sûre de l'exécution de son plan. Instruite désormais du secret de son asile, elle eut avec lui d'autres entrevues, mais à des intervalles de quelques jours, de peur d'éveiller les soupçons. Elle était toujours accompagnée dans ces visites par Niel MacDonald ou par lady Clanranald, qu'elle avait mise dans la confidence de ses projets.

Le 25 juin, quand tout fut prêt et le jour du départ fixé, il s'agissait encore de se procurer un passeport. Flora et Niel MacDonald s'avisèrent d'une ruse. Affectant un air de mystère en passant devant une compagnie de soldats, ils se firent arrêter. On voulut les interroger ; Flora refusa de se nommer, excepté au chef du poste. Or, ce chef était justement Hugh MacDonald, son beau-père, qui était capitaine d'une compagnie de milice. Il parut extrêmement surpris de trouver sa belle-fille détenue au corps de garde ; et Flora, profitant avec adresse des regrets qu'il exprimait, déclara son intention de retourner à l'île de Skye avec un passeport : «Je ne puis rester plus longtemps chez mon frère, et je vais rejoindre ma mère ; j'emmène avec moi M. Niel MacDonald, et une fille irlandaise, excellente fileuse, appelée Betty Burke.» Le capitaine n'eut rien à objecter contre les intentions de sa belle-fille. Il lui délivra un passeport comme elle le désirait, en ayant soin d'y mentionner l'Irlandaise Betty Burke.

Munie de cette pièce importante, Flora se rendit chez lady Clanranald, et s'occupa avec elle de préparer le costume de la prétendue Betty Burke, et des autres choses nécessaires au voyage. Enfin, le 28 juin au matin, Flora, lady Clanranald et quelques affidés se transportèrent du côté du rivage, et, faisant un détour, entrèrent dans une hutte à un mille de distance, où Charles-Édouard les attendait. «Il est impossible, dit une relation, d'exprimer tout ce que le prince avait souffert, pendant trois jours, sous ce malheureux rocher, où la pluie entrait par plusieurs fissures ; pour comble de tourments, un essaim de moucherons lui dévoraient le visage et les mains, à lui faire pousser quelquefois des cris affreux, malgré son incomparable patience. Niel ne pouvait lui rendre d'autre service que de faire couler à terre la pluie qui s'amassait dans les plis du manteau de tartan dont il cherchait à s'envelopper.»

À peine les nouveaux venus étaient-ils entrés, qu'un émissaire posté en sentinelle accourut les avertir que le général Campbell était arrivé à Ormaclade avec une nombreuse troupe de soldats. Lady Clanranald s'empressa de retourner chez elle pour les recevoir et les retenir, engageant le prince et Flora à s'embarquer au plus tôt. On se disposait à partir, quand on aperçut quatre bateaux pleins de soldats qui longeaient la côte. Il fallut se cacher derrière les rochers de la plage jusqu'à ce qu'on les eût perdus de vue. Charles-Édouard profita de ce temps pour revêtir le costume que miss Flora lui avait apporté, et qui consistait en une robe d'étoffe imprimée, avec une mantille à capuchon d'une couleur sombre. Enfin, le soir du vendredi 28 juin, Charles-Édouard quitta Long Island, où depuis deux mois il avait échappé à tant de périls. Ses nouveaux compagnons étaient miss Flora MacDonald et Niel MacDonald. O'Neil avait en vain demandé la faveur de les suivre : Flora n'y avait pas consenti.

Chapitre XIII

Aux premières clartés du jour le bateau arriva en vue de Waternish, point occidentale de l'île de Skye ; mais sur cette côte hérissée de montagnes se montra tout à coup un peloton de soldats qui leur cria d'aborder ; les rameurs, au lieu d'obéir, virèrent de bord pour gagner la haute mer. En même temps les soldats firent feu, et une grêle de balles tomba autour d'eux, sans les atteindre.

Le bateau aborda enfin à l'extrémité septentrionale de l'île de Skye. Des troupes régulières, infanterie et cavalerie, y étaient stationnées, mais moins nombreuses qu'à Long-Island ; quant aux habitants de l'île, les principaux étaient Sir Alexandre MacDonald et le laird de MacLeod, qui s'étaient, il est vrai, déclarés pour Georges II, mais plutôt par prudence que par haine contre les Stuart ; plusieurs hommes de leur clan avaient même pris parti pour Charles-Édouard. Enfin, la femme de sir Alexandre était cette même lady Margaret MacDonald qui avait déjà donné tant de preuves de son dévouement au prince, conjointement avec lady Clanranald. Elle était la fille d'un père et d'une mère, lord et lady Eglinton, dont l'attachement pour les Stuart est resté proverbial en Écosse. Il semblait à lady Margaret qu'elle ne pouvait assez réparer par son propre dévouement les torts de son mari envers la bonne cause.

Miss Flora avait fait prévenir depuis plusieurs jours lady Margaret de sa visite. Aussitôt après avoir mis pied à terre, elle laissa le prince avec Niel MacDonald, et se rendit seule au château de sir Alexandre MacDonald. Il fut heureux qu'elle eût pris les devants par un excès de précaution, car le château était rempli d'officiers des divers détachements répandus dans l'île, et lady Margaret, en l'absence de son mari, en ce moment auprès du duc de Cumberland, était obligée de faire seule les honneurs du château. Miss Flora fut accueillie avec joie comme une parente et comme une amie ; et malgré la présence importune des étrangers, les deux femmes trouvèrent le moyen de s'entretenir secrètement de l'objet qui les préoccupait par-dessus tout. Lady Margaret se concerta avec Flora pour faire passer le prince dans l'île de Raasay, et chargea l'homme d'affaires de son mari, MacDonald de Kingsburgh, dont elle connaissait les sentiments jacobites, d'aller joindre Charles-Édouard, pendant que miss Flora donnait elle-même des nouvelles indifférentes aux officiers anglais, dont il importait de ne pas éveiller les soupçons.

MacDonald de Kingsburgh trouva la prétendue servante irlandaise sous les armes, c'est-à-dire un bâton à la main, et prête à en frapper celui qui semblait s'avancer sur elle, en ayant l'air de la reconnaître. Les paroles convenues furent échangées à temps. Kingsburgh portait des provisions qui arrivèrent aussi fort à propos ; le prince et Niel MacDonald, après avoir apaisé leur faim, se mirent en route avec Kingsburgh.

Flora quittait de son côté le château de lady MacDonald avec une autre dame de son nom et deux domestiques qui n'étaient pas dans le secret. Aussi, en apercevant de loin sur le chemin une grande femme marchant d'un pas délibéré : «Voilà bien un homme déguisé en femme, s'écria l'un d'eux, à moins que ce ne soit une Irlandaise ! Justement ! je la reconnais, dit Flora ; c'est l'Irlandaise que j'attends.» Plus loin, au détour d'un chemin, elle abandonna ses nouveaux compagnons de voyage pour rejoindre à travers champs la fausse Betty Burke. Celle-ci se serait trahie cent fois par ses manières et sa démarche, malgré les conseils qu'on lui donnait à chaque rencontre nouvelle. «Je ne sais d'autre rôle que le mien, disait Charles-Édouard ; et jouant sur le mot de *prétendant* (en anglais *pretender*) vous voyez, ajoutait-il, que c'est à tort que l'on m'appelle le prétendant , puisque je ne saurais *prétendre* à me faire passer pour ce que je ne suis pas.»

Ils arrivèrent à la maison de Kingsburgh, où l'on trouva toute la famille couchée. Il fallut réveiller mystérieusement la femme du laird ; et grande fut la surprise de mistress Kingsburgh lorsque l'étrangère, qui la croyait prévenue, l'embrassant sur les deux joues, lui fit sentir le contact d'une barbe assez rude. Elle tira son mari à l'écart et lui dit : «C'est donc un proscrit que vous nous amenez ? — Ma chère, c'est le prince lui-même ! — Le prince ! s'écria-t-elle : hélas ! nous sommes perdus ! Eh bien ! reprit Kingsburgh, on ne meurt qu'une fois : pourrions-nous mourir pour une plus belle cause ? Dépêchez-vous de faire souper Son Altesse Royale. — Mais je n'ai rien que des œufs, du beurre et du fromage. — Ce sera suffisant. — Des œufs, du beurre et du fromage, répéta-t-elle, quel souper pour un prince ! — Ah ! ma bonne femme, reprit Kingsburgh, vous ignorez quels ont été dans ces derniers temps les soupers du prince ! Le nôtre sera un vrai régal pour lui ; d'ailleurs, un repas coûteux éveillerait les soupçons des domestiques ; dépêchez-vous, et venez vous asseoir vous-même à table. » Nouvel embarras de mistress Kingsburgh, qui n'oserait jamais, disait-elle, souper à côté d'un fils de roi. «Vous viendrez, lui dit son mari ; car le prince ne mangerait pas sans vous, et il vous mettra à votre aise par sa conversation obligeante[1]. »

Quand le souper fut servi, le prince fit asseoir miss Flora à sa droite, et mistress Kingsburgh à sa gauche. Il mangea de bon appétit, selon son usage, ce qui rassura son hôtesse ; et il ne laissa pas les dames s'éloigner sans leur avoir porté un *toast*. Resté seul avec Kingsburgh et Niel MacDonald, il s'entretint encore longtemps avec eux de leurs amis et des dangers de sa situation ; enfin, vers minuit, il consentit à aller goûter le repos (dans des draps blancs), ce qu'il n'avait pas fait depuis plus de deux mois.

Le lendemain matin, il fallut continuer ce long pèlerinage de proscription. Au moment de se remettre en route, Kingsburgh s'aperçut que les souliers du prince étaient complètement usés ; il en avait justement une paire toute neuve qu'il fit accepter à son hôte, et ramassant soigneusement les vieux : «Ils pourront me servir, dit-il. — Et comment ? demanda Charles-Édouard. — Je veux, lorsque vous serez rétabli sur le trône de vos pères à Whitehall, aller vous les y porter moi-même, pour vous rappeler des temps moins heureux. — J'espère que vous me tiendrez parole, » reprit Charles-Édouard.

Kingsburgh ne put accomplir son projet, et Whitehall ne revit plus les fils des Stuart ; mais les dames jacobites se partagèrent les souliers par morceaux, et conservèrent précieusement ces reliques comme des témoignages de leur affection pour la famille infortunée de leurs anciens rois. Mistress Kingsburgh fit aussi replier soigneusement les draps dans lesquels avait dormi le noble proscrit, les destinant à lui servir de

---

[1] *Jacobite Memoirs.*

linceul à sa mort. Plus tard elle consentit à en céder une moitié à Flora MacDonald pour le même usage.

Après de touchants adieux, Charles-Édouard, Flora, Kingsburgh et Niel MacDonald, partirent par de longs détours pour l'île de Raasay. Avant de franchir le bras de mer qui sépare les deux îles, Charles-Édouard changea encore de costume et prit celui des habitants des Hébrides. Un messager fidèle avait prévenu le laird de Raasay de l'arrivée du prince. C'était un MacLeod dont le père avait combattu à Culloden ; il ne demandait pas mieux que de donner l'hospitalité à Charles-Édouard, mais la difficulté consistait à se procurer un bateau pour le transporter dans l'île, car les soldats les avaient tous détruits. Heureusement il se rappela que son cousin Malcolm, qui avait servi sous le prince en qualité de capitaine, avait su en soustraire deux aux recherches de l'ennemi. Malcolm, averti par le laird, s'empressa de mettre un de ses bateaux à la disposition du prince avec deux rameurs sur la fidélité desquels il pouvait compter, se réservant pour lui les fonctions de pilote.

Le moment était venu de se séparer de Kingsburgh et de la fidèle miss Flora MacDonald. Les larmes coulèrent de leurs yeux. Il semblait à Charles-Édouard qu'il s'éloignait de son ange tutélaire. Il lui remit son portrait, en l'engageant à le conserver comme un souvenir de sa reconnaissance, et en se recommandant instamment à ses prières, sur l'efficacité desquelles il comptait pour le retirer des dangers qu'il avait encore à courir. Il pleura de nouveau en embrassant le fidèle Kingsburgh, et, chose qui lui arrivait, dit-il, chaque fois qu'il se séparait d'un ami qu'il affectionnait beaucoup, le sang jaillit de son nez et coula abondamment.

Dans le bateau, Charles-Édouard exigea que ses compagnons le traitassent comme un égal ; et au bout de quelques instants, ses nouveaux amis lui étaient aussi dévoués que les précédents. À Raasay, ils admirèrent sa patience, son courage et sa grandeur d'âme. Il ne trahissait un reste d'inquiétude que dans ses rêves ; et Malcolm, qui ne le quittait plus, l'entendit s'écrier quelquefois au milieu du sommeil : «Ma pauvre Écosse !»

Cependant, n'osant pas habiter longtemps le même asile, il se fit ramener à Skye, dans le bateau de Malcolm MacLeod, brava de nouveau une tempête, et aborda au rivage tout trempé d'eau de mer. Ne gardant avec lui que Malcolm, dont il se disait le domestique, ils errèrent ensemble dans les montagnes, réduits pour tout aliment à une bouteille d'eau-de-vie, bientôt vide, et se dirigèrent vers la demeure du laird MacKinnon, qui avait épousé une sœur de Malcolm. Il était absent, et mistress MacKinnon remplit seule les devoirs de l'hospitalité.

Malcolm mit sa sœur dans le secret, mais elle n'osa pas b révéler aux gens de la maison, craignant, non la trahison d'aucun d'eux, mais quelque indiscrétion involontaire. Après avoir pris un repos dont ils avaient si grand besoin, nos deux voyageurs furent réveillés par mistress MacKinnon, qui venait leur annoncer que son mari était sur le point d'arriver et qu'elle désirait qu'il fût prévenu de la présence de son royal hôte. Malcolm alla aussitôt à sa rencontre et lui demanda, en l'abordant et sous la forme d'une supposition, ce qu'il ferait du prince s'il venait chercher un asile chez lui... «Je donnerais ma vie pour le sauver! – Eh bien! il vous attend,» dit Malcolm; et MacKinnon se hâta d'aller lui offrir ses conseils et ses services[2].

Le prince avait résolu, faute d'aliments, de retourner sur la terre ferme, où la persécution s'était ralentie, où il serait plus rapproché de ses amis et aurait plus de facilité pour rejoindre les navires français qu'il savait envoyés à sa recherche. MacKinnon lui fournit non seulement un bateau et des rameurs pour faire cette traversée, mais il voulut l'accompagner lui-même: toutefois il lui conseillait d'attendre quelque temps, car le ciel était à l'orage et l'on apercevait deux vaisseaux anglais à portée de canon. «Ne craignez rien, répondit le prince, le beau temps va revenir, et avec lui un vent favorable qui éloignera les vaisseaux ennemis.» Sa confiance se communiqua à ses compagnons; on partit malgré l'orage, et à peine était-on en mer que l'horizon s'éclaircit, les deux vaisseaux furent écartés, et les fidèles témoins de cet heureux départ le saluèrent de la plage avec un touchant enthousiasme.

Le bateau qui portait Charles-Édouard aborda à l'extrémité méridionale du lac Newish[3]. Toujours déguisé en montagnard, avec un plaid roulé comme le portait un vassal, il passa les trois premières nuits à la belle étoile, la quatrième dans une caverne; puis, ayant osé s'aventurer un peu plus loin, il se réfugia dans les misérables huttes construites à la hâte pour les propriétaires ou les lairds du pays dont les habitations avaient été naguère livrées aux flammes.

---

[2] *M. Amédée Pichot,* Hist. du prince Charles-Édouard, *t. II, p. 233*
[3] *Le prince débarqua à Little Mallag ou Malleck, sur la rive sud du Loch Nevis entre Morar et Knoydart.*

Les MacKinnons le laissèrent aux soins de MacDonald de Borodale, en lui disant seulement : «Nous avons fait notre devoir envers le fils de nos rois ; c'est à votre tour. — Je suis heureux de l'occasion qui se présente,» répondit Borodale.

Un des fils de ce chef alla chercher MacDonald de Glenaladale, que le prince attendit trois jours dans une caverne. Glenaladale rassura Charles-Édouard sur le sort de quelques-uns de ses amis, entre autres du brave Lochiel, encore souffrant des blessures qu'il avait reçues à Culloden. Mais il apprit en même temps que la côte était mieux surveillée qu'il ne l'avait supposé, et qu'il fallait à tout prix s'en éloigner ; car le général Campbell et le capitaine Scott, à la tête de cinq cents hommes chacun, occupaient tous les passages, et, formant autour de lui un cercle qui se rétrécissait chaque jour, semblaient ne pouvoir manquer de s'emparer de sa personne. Ainsi traqué, le royal fugitif se vit encore pendant un mois exposé à des périls sans cesse renaissants, auxquels il fallait opposer la ruse ou le courage. Tantôt réduit à une jatte de lait pour toute nourriture pendant vingt-quatre heures, tantôt restant deux jours sans aucune espèce d'aliments, il croyait n'avoir plus que l'alternative de se livrer au général Campbell ou de mourir de faim[4].

Un soir, il était parti de Glenshiel pour Pollen, lorsque Glenaladale, qui l'accompagnait, s'aperçut tout à coup qu'il avait perdu sa bourse, contenant quarante guinées appartenant à Charles-Édouard. Malgré les représentations trop désintéressées de celui-ci, il voulut retourner sur ses pas afin de la chercher, car c'était là le reste de leurs richesses. Glenaladale se fit accompagner du plus jeune de ses frères, laissant l'autre et le guide qu'ils avaient pris avec Charles-Édouard cachés derrière un rocher. Pendant ce temps-là, le prince vit passer un officier et quelques soldats qui suivaient le même chemin qu'ils avaient parcouru, de sorte qu'ils les eussent infailliblement rencontrés sans l'incident de la bourse perdue. Charles, tout en remerciant le Ciel de cette protection visible, tremblait pour son compagnon, exposé maintenant avec son jeune frère au danger qu'ils venaient d'éviter ; mais, tandis qu'il était plongé dans ces réflexions, Glenaladale, tenant la bourse qu'il avait retrouvée, arrivait par un autre sentier sans avoir vu les soldats. «Dieu soit loué ! dit le prince ; le Ciel veut me sauver moi et mes amis !»

[4] M. Amédée Pichot, Hist. du prince Charles-Édouard, t. II, p. 233.

Après avoir marché toute la nuit, ils firent une halte de quelques heures entre deux rochers. Ils se dirigèrent ensuite du côté du nord jusqu'à Glenmoriston, où ils trouvèrent pour tout abri une grotte si étroite qu'il était impossible de s'y étendre, exposée d'ailleurs aux intempéries de l'air, et où la pluie tomba toute la nuit. Le lendemain, les fugitifs atteignirent une montagne située entre les bruyères de Glenmoriston et celles de Strathglass. Ils aperçurent une caverne qui leur parut habitée : mais était-ce par des amis ou par des ennemis ? Glenaladale entra le premier ; les hôtes de la caverne étaient sept voleurs ou maraudeurs connus dans la contrée sous le nom des *Sept hommes de Glenmoriston* ; ils étaient occupés à faire rôtir in mouton dérobé la veille à un troupeau, ou peut-être aux maraudeurs anglais. « Je suis du clan Ranald, leur dit Glenaladale ; étant en fuite avec quelques amis, c'est en leur nom que je demande à partager votre demeure et votre repas. — Que Clanranald et ses amis soient les bienvenus, » répondirent ces hommes, que la persécution avait réduits à cette vie de rapines. Glenaladale alla chercher le prince, tout en lui faisant connaître à quelle espèce d'hommes il allait avoir affaire. Charles-Édouard ne craignit pas de confier le soin de sa sûreté à ces hommes qui avaient renoncé à tous les liens sociaux, se rappelant que dans une pareille extrémité une reine d'Angleterre avait trouvé auprès d'une troupe de bandits asile et protection pour elle et pour son fils[5]. À peine fut-il entré dans la caverne, que le chef des voleurs le reconnut ; mais, n'osant pas de prime abord confier un tel secret à ses compagnons, il s'approcha familièrement du prince et lui dit gaiement, en lui lançant un coup d'œil significatif : « Te voilà donc, Dougal Maccalony ! » Charles-Édouard comprit que cet homme voulait le sauver ; et, acceptant le nom qu'il lui attribuait pour le présenter aux autres, il se laissa traiter par lui en camarade. Du reste, son accoutrement ne différait guère de celui de ses nouveaux compagnons, et il eût pu parfaitement passer aux yeux d'un étranger pour faire partie de la bande. Glenaladale prenant alors la parole leur dit : « Je vous crois tous des hommes de cœur ; si donc vous nous donnez votre parole, nous y compterons envers et contre tous. — Je prétends, dit le chef, nommé Patrick Grant, nous lier par le serment des montagnards[6]. » Il prononça la formule, répétée successivement par les autres quand ils furent réunis. Charles-Édouard

[5] *Marguerite d'Anjou après la bataille d'Hexham.*
[6] *Appelé le* Serment du dirk *(poignard des Highlanders). On trouve la description de ce serment dans* Waverley.

et Glenaladale se préparaient à prononcer les mêmes paroles ; mais, après s'être consulté, les sept bandits, ne voulant pas laisser ignorer plus longtemps au prince qu'ils le connaissaient, à présent qu'ils avaient juré de le défendre envers et contre tous, déclarèrent que son propre serment était inutile ; et, fléchissant le genou devant lui, ils jurèrent de nouveau de lui être dévoués à la vie et à la mort.

Ils tinrent parole, et pendant trois longues semaines Charles-Édouard eut ces bandits pour gardes du corps, tous remplis d'attentions et de prévenances, autant que vigilants, actifs et braves. Et quand on pense qu'aucun d'eux n'ignorait la récompense promise à qui le livrerait, que c'était un moyen facile et sûr de s'enrichir et de se faire amnistier leur passé, tandis qu'en le servant ils ne faisaient qu'aggraver leur position, sans espoir de recevoir jamais le prix de leur dévouement, on reste confondu de tant de loyauté dans de pareils hommes. Ce qui n'est pas moins remarquable, c'est que, tout en donnant cette preuve si extraordinaire de désintéressement, l'instinct de leur métier ne les abandonnait pas : ainsi, ils dévalisèrent un officier anglais pour renouveler le linge et les habits du prince ; pour le nourrir, ils levèrent la dîme sur tous les moutons du voisinage, et, pour lui procurer les papiers publics, l'un d'eux, déguisé en soldat, alla jusqu'au fort Augustus dérober les gazettes du gouverneur. Enfin, Charles-Édouard avait su tellement se faire aimer de ces hommes, que plus tard, en racontant son séjour parmi eux, il pleurait d'attendrissement ; et cependant il leur parlait souvent de Dieu et de la morale qu'enseigne la religion, et il était déjà parvenu à les faire renoncer à des juremens impies qui revenaient à chaque instant dans leurs discours[7].

Après trois semaines passées dans la compagnie des sept bandits, Charles-Édouard envoya un de ses gardes du corps porter un message aux Camerons pour leur annoncer qu'il avait résolu de se joindre à eux. Cameron de Cluny vint au-devant de lui avec ses fils et le docteur Cameron, frère de Lochiel. Patrick Grant, le chef des voleurs, et Hugh Chisholm, un des hommes de la bande, demandèrent pour récompense de partager encore quelque temps les périls de celui qu'ils avaient nourri et sauvé au milieu de sa plus grande détresse : cette faveur ne leur fut pas refusée.

---

[7] *Ces détails sur les sept voleurs de Glenmoriston ont été puisés dans un manuscrit de M. Chambers intitulé :* Relation des conversations du R. P. Forbes avec Patrick Grant. *Note de M. Amédée Pichot.*

Glenaladale se rendit sur les côtes, où l'on avait signalé l'apparition de deux navires français, et pendant ce temps-là Charles-Édouard alla l'attendre auprès de Lochiel, dans la misérable hutte que ce chef habitait depuis quelque temps avec trois amis. Comme il s'en approchait avec précaution et les armes à la main, il fut pris pour un espion. Lochiel et ses amis sortirent de la hutte et le couchèrent en joue; Patrick Grant se jeta entre lui et les canons, en criant: «Ne tirez pas, c'est le prince!» Au même instant, Lochiel le reconnut, et voulut se jeter à ses genoux; Charles-Édouard le serra dans ses bras: «Du haut de ces montagnes, dit-il, nous pouvons être vus par les ennemis, pour qui vous me preniez tout à l'heure; tout témoignage de respect vous trahirait: traitez-moi donc en ami et en frère, je ne veux pas être autre chose pour vous.» Ils entrèrent dans la hutte; il y avait quelques provisions; Charles-Édouard demanda d'abord un verre de *whiskey*, et le vida à la santé de tous ses amis. On prépara un repas frugal, auquel il fit honneur. «Enfin, s'écria-t-il, me voilà traité comme un roi!» Puis il fallut se séparer et recommencer encore cette vie errante et aventureuse.

Le dernier asile de Charles-Édouard fut le plus singulier de tous: c'était une espèce de caverne aérienne, pratiquée dans les rochers de Letternilichk[8], et qu'on appelle la Cage; on dirait en effet une cage suspendue par la main d'un géant au dessus des précipices.

Le prince et ses compagnons restèrent dans cette retraite depuis le 2 septembre jusqu'au 13. Glenaladale vint enfin leur annoncer que deux bricks français[9] envoyés à la recherche du prince avaient jeté l'ancre dans la baie de Lochnanuagh. Avant de s'embarquer, Charles-Édouard voulut qu'on avertît de son départ tous ceux de ses partisans qui se cachaient dans les environs; il se rendit à Lochnanuagh, entouré de Lochiel, du docteur Cameron, de John Roy, de Lochgarry, et de près de cent autres, heureux de partager son exil. Ils s'embarquèrent le 19 septembre, dans cette même baie qui avait vu arriver Charles-Édouard quatorze mois auparavant. «Ce qui est étrange, dit Voltaire, et ce qui prouve bien que tous les cœurs étaient à lui, c'est que les Anglais ne furent avertis ni du débarquement, ni du séjour, ni du départ de ces deux vaisseaux.»

---

[8] *La montagne de Letternilichk fait partie du massif du Benalder.*
[9] *Voir les détails en annexe.*

Mais la destinée de ce malheureux prince semblait encore le poursuivre ; les frégates[10] qui le ramenaient avec sa suite se dirigeaient sur Brest. Arrivées en vue de ce port, elles le trouvèrent bloqué par une escadre anglaise. On reprit alors la pleine mer, et l'on revint ensuite vers les côtes de Bretagne du côté de Morlaix ; une autre flotte anglaise s'y trouva encore ; on hasarda de passer à travers les vaisseaux ennemis ; et enfin le prince, après tant de malheurs et de dangers, débarqua, le 10 octobre 1746, dans le port de Saint-Pol-de-Léon[11].

---

[10] L'Heureux *et le* Prince de Conti, *de l'armement privé de Richard Butler. Le Prince embarque sur* l'Heureux, *et une partie de sa suite sur le* Prince de Conti *qui avait pour capitaine le corsaire malouin Joseph-Thomas «Macé» Marion-Dufresne (1724-1772), chargé d'assurer le retour du Prince. Mission bellement accomplie puisqu'à son retour d'Écosse, le jeune homme est promu lieutenant de frégate. Marion-Dufresne entre ensuite à la Compagnie des Indes. En 1772, en mission de reconnaissance en Nouvelle Zélande, il périt dévoré par des indigènes.*
[11] *Ou plutôt dans le port de Roscoff.*

Chapitre XIV

La brillante et triste épopée de Charles-Édouard est terminée. Le reste de sa vie, quoique encore empreint de cette fatalité qui semble s'attacher à sa famille, n'offre plus rien de cet intérêt si palpitant que présentent les quatorze mois que nous venons de parcourir. Aussi n'aurons-nous besoin que de quelques pages pour raconter les principaux événements des quarante années qu'il vécut encore. Mais avant de suivre Charles-Édouard dans son exil, le lecteur sera curieux de connaître ce que devinrent les principaux personnages qu'on a vu figurer dans cette histoire.

Tous ceux de ses officiers qui furent pris, même ceux de la garnison de Carlisle qui avaient cru à la foi du duc de Cumberland, expirèrent dans d'horribles supplices, dont on fit un spectacle au peuple de Londres. «On les traînait sur la claie au lieu du supplice, et après les avoir pendus, avant qu'ils eussent expiré on leur arrachait le cœur, dont on battait leurs joues, puis on mettait leurs membres en quartiers.» Tous, sur l'échafaud, prièrent Dieu à haute voix de rendre le trône au roi légitime.

Bientôt on voulut des victimes d'un rang plus élevé. Quatre pairs d'Écosse, les lords Kilmarnock, Cromarty, Balmerino et le vieux lord Lovat, furent jugés et condamnés par la chambre haute formée en *cour de grande sénéchaussée*. L'épouse de Cromarty, qui avait huit enfants et était enceinte du neuvième, obtint la grâce de son mari. Les autres moururent courageusement, en criant: Vive le roi Jacques et son fils!

Parmi tant de jacobites fidèles, il se trouva un traître, John Murray de Broughton, qui avait été secrétaire de Charles-Édouard et du comité jacobite d'Édimbourg. Moyennant deux cents livres sterling et une grosse rente annuelle sur les biens confisqués, il livra tous les secrets de la conspiration jacobite, entre autres une liste de quatre mille quatre cents personnes qui, dans la seule ville de Londres, avaient souscrit pour diverses sommes destinées à l'entretien des troupes jacobites, et une lettre de lord Lovat qui mandait à Charles-Édouard : «J'ai levé mille cinq cents hommes de mon clan pour le service de S. M. Jacques III, et j'ai mis mon fils à leur tête, mon âge ne me permettant pas de marcher moi-même.» Cette pièce fut la principale cause de la condamnation du vieux lord. Murray de Broughton fut surnommé le *Judas Jacobite* ; il vécut encore longtemps en horreur à tous les partis.

À York, à Carlisle, et dans presque toutes les villes de l'Écosse, le sang ruissela pendant plusieurs mois ; enfin, au milieu de l'année 1747, on proclama un acte d'amnistie dont quatre-vingts personnes étaient encore exceptées.

Quant aux compagnons de ses dangers pendant la fuite du prince dans les Hébrides et dans le nord de l'Écosse, voici quelques renseignements sur les principaux d'entre eux.

Édouard Burke, le serviteur d'Alexandre MacLeod, qui ne quitta le prince que pour le confier à Flora MacDonald, vécut longtemps caché dans une caverne de South-Wist ; puis, quand l'amnistie fut proclamée, il vint se fixer à Édimbourg, où il exerça l'humble profession de commissionnaire, et devint l'homme de confiance de tous les jacobites de cette ville.

Sullivan, Thomas Sheridan et le jeune duc de Perth furent assez heureux pour s'embarquer sur un vaisseau français qui, envoyé à la recherche du prince, n'aborda à South-Wist qu'après que celui-ci en était parti. Le duc, épuisé par les fatigues et les privations de sa vie errante, expira dans la traversée.

O'Neil fut saisi par les Anglais ; mais il fut réclamé par le marquis d'Éguilles comme officier au service de France, et regardé comme prisonnier de guerre.

Le vieux Donald MacLeod ne tarda pas à être arrêté. Conduit devant le général Campbell, il répondit avec sang-froid à toutes les questions qui lui furent adressées. «N'est-ce pas vous, lui demanda le général, qui avez conduit le chevalier d'Arisaig aux Hébrides ? — Oui, je ne saurais le nier. — Et savez-vous ce que valait la tête de cet homme ? — Trente mille livres sterling. Cette somme eût suffi pour vous rendre riche, vous et votre famille. — Sans doute...; mais m'aurait-on promis toute l'Angleterre et toute l'Écosse, je n'aurais pu offenser un seul cheveu de cette tête.» Le général menaça le vieux montagnard de l'envoyer à la potence; mais il se contenta de le retenir en prison pendant quelque temps: ce ne fut pas son âge, ce fut son obscurité qui le sauva.

Lord Georges Murray parvint à passer d'Écosse sur le continent. Après avoir parcouru la France, l'Italie et la Hollande, il se fixa dans ce dernier pays sous le nom de M. de Valigné. Charles-Édouard conserva longtemps contre lui une rancune que leurs malheurs communs ne pouvaient effacer; le prince ne pouvait lui pardonner la retraite de Derby, qu'il regardait comme la cause et l'origine de tous ses désastres. Ce ne fut que longtemps après, et à la sollicitation du roi son père, qu'il consentit à lui pardonner.

Flora MacDonald fut arrêtée peu de jours après le départ du prince. Elle avoua tout sans crainte et sans affectation. On la garda cinq mois sur différents navires, et elle fut enfin transférée dans les prisons de Londres. Le prince Frédéric, fils aîné du roi Georges II, fut curieux de voir cette jacobite déterminée. Comme il lui témoignait son étonnement de ce qu'elle eût osé désobéir aux ordres de son souverain et favoriser la fuite d'un ennemi de l'État, elle répondit avec douceur: «Si Votre Altesse Royale, ou tout autre personne de votre famille était poursuivie par la même infortune que le fils des anciens rois de l'Écosse, je crois que j'écouterais en leur faveur le même sentiment.» Elle était encore en prison quand la proclamation de l'amnistie vint la rendre à la liberté. Une dame jacobite, lady Primerose, lui offrit l'hospitalité jusqu'à son retour en Écosse. Pendant son séjour à Londres, Flora MacDonald devint l'objet de la curiosité générale. Ce fut une mode d'aller la voir, et du matin au soir vingt équipages stationnaient continuellement à la porte de lady Primerose. Tout le monde admirait la candeur, la sage modestie et le courage de la belle Écossaise. Quand elle obtint de retourner dans son pays, c'était à qui lui offrirait sa voiture. Elle choisit pour compagnon de voyage le vieux Donald MacLeod, devenu libre comme elle. Donald, fier de ce choix, répéta souvent depuis: «J'étais allé à Londres pour être pendu, j'en suis revenu dans un beau carrosse avec miss Flora MacDonald.»

De retour dans son île natale, Flora se vit aussi l'objet d'une espèce de culte, comme l'ange gardien du dernier des Stuart. Elle épousa quelque temps après sir MacDonald de Kingsburgh, le fils de celui dans la maison duquel elle avait conduit le prince. Elle accompagna son mari en Amérique, et y trouva, pendant les troubles de la guerre de l'indépendance, l'occasion de déployer comme en Écosse son admirable courage[1]. Revenue dans l'île de Skye après la révolution américaine, elle y vécut jusqu'à un âge très avancé, ne cessant jamais de parler avec enthousiasme de la famille royale des Stuart[2].

Enfin, nous dirons un mot des *voleurs* de Glenmoriston. Ils furent plus heureux que d'autres jacobites qui n'avaient pas bravé les lois avec tant d'audace ; cinq profitèrent de l'acte d'amnistie publié en 1747 pour rentrer dans la société ; les deux autres étaient morts auparavant. Patrick Grant, le chef de la bande, s'enrôla dans l'armée active en 1759, fit la guerre en Allemagne et revint mourir en Écosse avec une pension d'invalide. Hugh Chisholm, après avoir vécu en *honnête homme* à Édimbourg, mourut en 1812 à Strathglass, son canton natal, dans un âge très avancé. C'était, selon Walter Scott, qui l'avait connu, un homme de six pieds, remarquable par sa bonne mine, et qui allait lever un tribut volontaire dans les maisons jacobites. Il ne recevait que de la main gauche l'argent qu'on lui donnait, s'excusant sur une prétendue blessure de la main droite ; mais la véritable raison était qu'il eût cru avilir cette main, parce qu'elle avait eu l'honneur de serrer celle de Charles-Édouard lorsque le prince avait pris congé de lui. Il espérait qu'un jour la claymore brillerait encore dans cette main ennoblie ; car il rêva jusqu'à son dernier jour la restauration des Stuart[3].

Cette illusion du reste était partagée non seulement par les plus obscurs partisans des Stuart, mais par les princes mêmes de cette famille, et surtout par Charles-Édouard, qui n'eut pas plutôt mis le pied en France que déjà il songeait aux moyens de réparer les désastres de Culloden. Il est vrai que si quelque chose était capable de lui faire oublier ses malheurs et de ranimer son espérance pour l'avenir, ce fut l'accueil sympathique qu'il reçut en France. Sa beauté, son courage, ses

---

[1] *Le mari de Flora MacDonald s'illustra en effet durant la guerre d'Indépendance, en combattant aux côtés des Anglais.*

[2] *Le premier monument funéraire élevé à Flora MacDonald fut pratiquement détruit, morceau par morceau, par ses admirateurs, désireux de conserver une relique de leur héroïne.*

[3] *M. Amédée Pichot,* Histoire de Charles-Édouard, *t. II, p. 292 et suivantes.*

succès, ses revers, ses dangers, tout cela était connu et formait autour de lui une auréole de gloire bien propre à exciter l'enthousiasme d'une nation chevaleresque comme la nôtre.

Charles-Édouard ne s'arrêta en Bretagne que le temps nécessaire pour se procurer des habits et du linge, afin de se rendre à Paris, «ayant hâte de voir le roi de France *pour mener les choses à leur véritable but*», ainsi qu'il l'écrivait à son frère le duc d'York, qui habitait alors Clichy. Les ministres du roi n'étaient pas si pressés que Charles-Édouard; ils voulurent encore éluder une entrevue entre le prince et Louis XV; mais cette fois Charles insista avec tant de force, qu'il finit par l'obtenir: on y mit pour condition qu'elle ne serait pas publique. Le prince accepta cette condition, se réservant d'en neutraliser l'effet en se rendant à la cour avec toute la pompe d'une réception solennelle. Il arriva en conséquence au jour fixé, avec trois magnifiques carrosses et une nombreuse escorte de gentilshommes à cheval. Louis XV ne parut pas se fâcher de la vaine pompe par laquelle Charles-Édouard protestait contre la prudente politique de ses ministres. Il le reçut avec toute la bonne grâce des Bourbons de France: «Mon très cher prince, lui dit-il, je rends grâces au Ciel du plaisir que je ressens à revoir Votre Altesse Royale. Vous venez d'acquérir une gloire immortelle; j'espère que vous recueillerez un jour le fruit de tant de fatigues et de dangers.»

Si ces paroles bienveillantes firent, un instant, illusion à Charles-Édouard, il ne tarda pas à reconnaître qu'elles n'exprimaient qu'une vague formule de politesse, et qu'elles étaient loin de contenir une promesse ou un engagement pour l'avenir. Il fut encore reçu quelquefois à la cour, tant à Fontainebleau qu'à Versailles, mais jamais il ne put parler de l'affaire unique qui le préoccupait. Il ne pouvait s'expliquer l'indifférence des ministres de Louis XV pour sa cause qu'en les supposant vendus à la cour de Saint-James, lorsque, partout ailleurs qu'à la cour et dans les bureaux ministériels, il recevait un accueil plein de sympathie. À l'Opéra, sa présence avait été saluée d'acclamations unanimes; dans les hautes classes de la société, l'admiration inspirée par l'expédition d'Écosse se traduisit maintes fois en hommages les plus flatteurs. Il résolut donc de faire une tentative auprès d'une autre cour. Il se rendit en Espagne, dont le trône était alors occupé depuis peu de mois par Ferdinand VI. Charles-Édouard fut reçu par le monarque espagnol avec une prudence qui lui fit voir que la cour de Madrid avait peur, comme celle de Versailles, de se compromettre à l'égard de la Grande-Bretagne. Voyant l'inutilité d'un séjour plus prolongé à Madrid, il se hâta de revenir en France, où il était question de négociations pour la paix, et de sacrifier la cause des Stuart aux intérêts diplomatiques.

Il apprit en arrivant à Paris que son jeune frère, le duc d'York, renonçant à l'espoir d'une restauration de sa famille, venait d'embrasser l'état ecclésiastique, et avait été promu à la dignité de cardinal. Charles-Édouard fut très contrarié de n'avoir pas été consulté dans cette occasion, et il en témoigna son mécontentement à son père et à son frère dans des termes que le respect aurait dû rendre plus mesurés.

Enfin, comme pour achever de l'exaspérer, le traité de paix d'Aix-la-Chapelle fut signé entre toutes les parties belligérantes (1748); la couronne de la Grande-Bretagne fut garantie à la maison de Hanovre, et un article obligeait les Stuart à quitter les domaines du roi de France. Charles-Édouard fut indigné à la lecture de cet article; loin de s'y soumettre volontairement, il affecta plus que jamais de se montrer en public. Le ministre d'Angleterre se plaignit plusieurs fois que le cabinet de Versailles ne le forçât pas à sortir du royaume; malgré ces réclamations, on retarda longtemps l'exécution de cet article. On aurait voulu que Charles-Édouard partît de lui-même. Les avis indirects ne lui manquèrent pas, il feignit de ne pas comprendre. Le ministre des affaires étrangères lui écrivit directement; il n'en tint aucun compte. Il affectait seulement de répéter que les ministres du roi de France n'oseraient jamais user de violence envers un proche parent de leur roi, qui avait l'honneur comme lui de descendre de Henri IV[4]. Enfin, l'ordre fut donné au duc de Biron, colonel des Gardes-Françaises, de faire arrêter Charles-Édouard à l'Opéra, où il devait se rendre. Au moment où le prince descendait de voiture, des agents de police s'emparèrent de lui, et le transportèrent dans une maison voisine, où les officiers du roi l'attendaient. On le désarma, et comme il faisait quelque résistance pour dégager ses bras, les agents lui lièrent les mains, comme ils l'auraient fait à un malfaiteur. «Ce fut là, dit Voltaire, le dernier coup dont la destinée accabla une génération de rois qui datait de trois siècles.»[5]

Charles-Édouard fut conduit à Vincennes, où on ne laissa pénétrer auprès de lui qu'un des gentilshommes de sa suite. C'était

---

[4] *Henriette de France, épouse de l'infortuné Charles Ier et bisaïeule de Charles-Édouard, était fille de Henri IV.*

[5] *En 1748, alors historiographe du roi, Voltaire cesse la rédaction de son ouvrage pour protester contre l'arrestation et l'expulsion de Charles-Édouard Stuart par Louis XV.*

Niel MacDonald, ce fidèle compagnon que lui avait autrefois donné Clanranald dans l'île de Skye.

L'arrestation de Charles-Édouard excita au plus haut degré l'indignation publique. Les pamphlets, les épigrammes, les vers satiriques furent répandus à profusion et affichés sur les murs de Paris; on cite entre autres une satire de Dufresnoy qui commençait par ces vers :

«Peuple jadis si fier, aujourd'hui si servile,
Des princes malheureux vous n'êtes plus l'asile, »

et qui valut à l'auteur un séjour de quelques mois à la Bastille. Le gouvernement resta d'ailleurs insensible aux épigrammes et aux pamphlets. Le prince fut conduit à la frontière de Savoie par M. de Perussy, officier de mousquetaires, qui ne le quitta qu'à Pont-de-Beauvoisin. De Savoie, Charles-Édouard se rendit à Avignon, où il voulait fixer sa résidence. Mais les ministres du roi George prétendirent qu'il était trop près de la France, et ils exigèrent que Louis XV usât de son droit de suzeraineté sur le comtat[6], ou de son influence auprès du pape, pour l'en faire expulser. L'ordre fut expédié de l'arrêter de nouveau. Alors il se décida à se retirer à Venise ; mais le sénat de cette ville, qui l'avait si bien accueilli quelques années auparavant, le repoussa comme il devait plus tard repousser un roi de France, chassé aussi de son royaume, et désigné aussi sous le titre de *prétendant*[7].

Vers cette époque on perdit tout à coup ses traces. Un incognito sévère le déroba en même temps à ses amis et à ses ennemis. On croit qu'il resta caché, sous un déguisement et un nom inconnu, chez le duc de Bouillon dans les forêts des Ardennes. Seulement on sait qu'il continuait d'entretenir des correspondances avec ses partisans d'Écosse et d'Angleterre; mais les lettres qu'il leur écrivait n'étaient point datées, et ne portaient aucune indication du lieu d'où elles étaient parties. Il fit même, assure-t-on, deux voyages secrets à Londres, pour conférer avec des conspirateurs, ou plutôt avec des mécontents, qui reculaient toujours au moment de donner le signal d'un complot ou d'une insurrection. On a élevé des doutes sur ces deux voyages de Charles-Édouard en Angleterre, qui ont pour autorité

[6] *Le comtat d'Avignon et le comtat Venaissin (la moitié du département du Vaucluse) restèrent des terres papales enclavées dans le royaume de France jusqu'en 1791.*

[7] *Louis XVIII, forcé de quitter les États de Venise par ordre du sénat, effaça lui-même son nom inscrit au livre d'or de cette république.*

le célèbre historien David Hume. Voici le passage d'une lettre qu'il écrivit d'Édimbourg, le 13 février 1773, à son ami le docteur Pringle : «Il est certain que le prétendant était à Londres en 1753, je l'ai su de mylord Maréchal (Georges Keith), qui m'a dit en avoir une parfaite connaissance. Le prince prenait si peu de précautions, qu'il sortait ouvertement le jour, avec son habit accoutumé, en ôtant seulement son étoile. Cinq ans après, je contai cette histoire à lord Holderness, qui était secrétaire d'État en 1753, et j'ajoutai que je présumais que ce fait avait échappé à sa connaissance . — Aucunement, me dit-il : et qui croyez -vous qui m'en ait parlé le premier ? ce fut le roi Georges II lui-même. Il me demanda ce qu'il y avait à faire ; j'hésitais... Rien du tout, reprit le roi ; lorsqu'il sera las de l'Angleterre il en sortira.» Mais ce qui vous surprendra davantage, continue David Hume, c'est que mylord Maréchal, quelques jours après le couronnement de Georges III (1761), me dit que le jeune prétendant était venu à Londres pour voir cette cérémonie, et qu'en effet il l'avait vue. Mylord tenait ce fait étrange d'un homme qui, ayant reconnu le prince dans la foule, lui dit à l'oreille : «Votre Altesse Royale est le dernier être vivant que je me serais attendu à trouver ici. C'est la curiosité, répondit le prince, qui m'y conduit ; mais je vous assure que l'homme qui est l'objet de toute cette pompe est celui que j'envie le moins.»

Quoi qu'il en soit, on n'entendit plus parler d'une manière certaine du prince Charles-Édouard jusqu'à la mort de son père, arrivée le 12 janvier 1766. Il reparut alors, et vint à Rome pour accomplir les derniers devoirs de la piété filiale. Il ne prit point officiellement le titre de roi, et se contenta de se faire appeler comte d'Albany, nom qu'il porta jusqu'à sa mort ; cependant il se qualifia de roi dans une médaille qu'il fit frapper en 1766, et dans une autre, frappée en 1772, à l'occasion de son mariage.

Charles-Édouard semblait, comme son frère, avoir perdu l'espoir d'une restauration, et il vivait paisiblement dans l'asile que le grand-duc de Toscane lui avait offert dans ses États, quand la politique des cours de France et d'Espagne, jugeant utile de ne pas laisser éteindre une race royale, qui pouvait encore être utile à ses desseins, résolut de lui faire contracter un mariage digne de son rang. La diplomatie négocia donc l'union du dernier rejeton des Stuart avec la jeune princesse de Stolberg-Gœdern. Ce mariage eut lieu en 1772 ; Charles-Édouard avait alors cinquante-deux ans, et la princesse, née en 1752, n'en avait que vingt. Les trois cours de la maison de Bourbon assurèrent aux époux un apanage convenable ; mais ce que la politique ne pouvait leur garantir, c'était le bonheur conjugal, qui se concilie difficilement avec une énorme disproportion d'âge. La princesse avait un caractère qui ne pouvait guère sympathiser avec celui de son mari. Le scandale de leurs discordes domestiques fit tort à la dignité de ce nom que l'infortune eût dû rendre sacré. Tous les torts ne furent pas d'un côté sans doute ; mais on se plut à grossir ceux de Charles-Édouard, qu'on représentait comme un tyran brutal, grossier, ivrogne. La princesse finit par fuir le toit conjugal, et se réfugia chez son beau-frère le cardinal d'York. Charles-Édouard survécut plusieurs années à cette séparation, passant les derniers temps de sa vie dans une obscurité presque complète. Il mourut le 31 janvier 1788. Ses funérailles eurent lieu dans la cathédrale de Frascati, dont son frère était évêque. « Ce fut lui qui officia sur le cercueil de Charles : religieuse et authentique renonciation, dit M. Amédée Pichot, à cette couronne d'Angleterre, perdue en grande partie par son aïeul pour la cause de la religion dont il était le ministre. »

Comme son père et comme son aïeul, le cardinal d'York semblait toujours prêt à remercier Dieu de lui avoir fait perdre trois royaumes, si c'était pour le rendre meilleur et plus digne de la couronne céleste. Ses mœurs étaient douces, sa piété éclairée ; jamais il ne ressentit ces mouvements d'ambition qui avaient fait le tourment de son frère. S'il avait pu conserver au fond du cœur quelque amertume contre les rois qui avaient abandonné sa famille, il vécut assez longtemps pour voir les enfants de ces mêmes rois aussi malheureux que le furent ses ancêtres. Lui-même ne fut pas à l'abri de ces nouvelles tempêtes politiques qui bouleversèrent l'Europe ; il perdit en 1793 une pension que lui faisait l'Espagne et les revenus des abbayes qu'il possédait en France.

Quand la république française vint chasser Pie VI du Vatican, le cardinal d'York, pour soutenir le pape dans sa détresse, vendit les joyaux de sa famille, et entre autres un rubis estimé 50 000 louis : bientôt expulsé comme tous les autres cardinaux, il se réfugia à Venise en 1798, infirme et pauvre, subissant une double humiliation comme fils de roi et comme prince de l'Église. De retour à Rome en 1801, le cardinal d'York consentit à recevoir une pension annuelle de 4 000 livres sterling du roi Georges III, comme porteur des titres de Marie d'Est[8], femme de Jacques II. Il mourut en 1807, à l'âge de quatre-vingt-deux ans.

[8] *Veuf, Jacques II épouse en 1673 Marie Béatrice d'Este, princesse de Modène).*

En 1819, Georges IV fit ériger dans l'église de Saint-Pierre de Rome aux trois derniers Stuart un mausolée sculpté par le célèbre Canova. On y lit cette inscription :

JACOBO III
JACOBI II MAGNÆ BRITANNIÆ REGIS FILIO,
KAROLO EDVARDO
ET HENRICO DECANO PATRUM CARDINALIUM,
REGIÆ STIRPIS STUARDIÆ POSTREMIS,
ANNO M DCCC XIX.

Beati mortui qui in Domino moriuntur.

La veuve du prince Charles-Édouard épousa, quelque temps après la mort de son mari, le comte Alfieri, célèbre poète italien. Elle est morte à Florence le 29 janvier 1824.

Postface

Le *Dernier des Stuart* a été publié en 1855 et il faut bien reconnaître que, par-delà le temps, le récit a gardé toute sa puissance d'évocation et l'essentiel de sa saveur. Pourtant, il semble possible aujourd'hui d'apporter quelques précisions aux événements décrits par l'auteur, et parfois d'aborder sous un angle un peu divergent (peut-être avec d'autres a priori) les faits qui constituent la trame de son récit.

Politique, société, économie, religion : quand on parle d'Écosse au temps du dernier soulèvement jacobite, il faut tenter de cerner le contexte qui va voir éclore la folle aventure. Les Jacobites d'Écosse et d'Angleterre envoient aux Stuarts rapports et émissaires pour les persuader de rejoindre leur pays. Les uns et les autres s'appuient prioritairement sur la fidélité de ceux que le prince appelle ses « montagnards », c'est-à-dire les hommes des clans des Highlands, et qui doivent constituer les forces armées de la reconquête. Mais quelle est réellement cette Écosse, et surtout qui sont ces Écossais sur lesquels compte Charles Stuart ?

En ce milieu du XVIIIe siècle, l'Écosse est loin de constituer une entité homogène. En une lente dérive qui remonte... au XIIIe siècle et à la guerre de conquête d'Édouard Ier, bien des élites du pays ont succombé à la séduction des honneurs, des titres et des riches domaines offerts par les souverains anglais. Peu à peu, les chefs de clans ont oublié l'organisation de la vieille société celtique, délaissant les rudes conditions de vie qui étaient les leurs, et jusqu'à leurs terres et leurs gens, pour se rallier au mode de vie du sud, aux élégances de la cour, aux promesses de l'Angleterre qui n'a de cesse d'annexer le royaume du Nord. Le coup de grâce est donné par Jacques VI d'Écosse : en devenant Jacques Ier, roi d'Angleterre, il invente le nom du royaume – la Grande-Bretagne, et un drapeau auquel il donne son nom, l'Union Jack. « Pour la pauvre petite Écosse, unie à la grande et riche Angleterre, c'est le commencement de la fin. Jamais conquise par les armes, l'Écosse est finalement vaincue par l'abandon de ses rois ».[1]

Au temps de la Grande Élisabeth[2], la fièvre du commerce et de la conquête s'était emparée de l'Angleterre, et la noblesse écossaise lui avait emboîté le pas. Derrière elle s'étaient engouffrés les bourgeois et les marchands des Basses Terres. Trop isolés, ignorés ou méprisés, les habitants des îles et des hautes terres, les Highlands (qui commencent alors dès Perth), restèrent à l'écart de cette évolution. Sans villes, sans routes, leur seule vraie richesse était leur bétail ; leur organisation sociale, le vieux système clanique et la langue, le gaélique, accroissaient leur particularisme.

La fracture entre Highlands et Lowlands a de multiples causes, géographiques, religieuses, politiques, économiques, sociales, linguistiques. Les Lowlanders presbytériens,[3] habitants des villes, de Glasgow surtout, nobles ou bourgeois, détestent tout à la fois les jacobites, les épiscopaliens[4] et les catholiques. Et ils craignent et méprisent les Highlanders avec leurs coutumes, leur langue et leurs accoutrements ridicules. Un exemple ? Montgomerie, délicat poète des Lowlands du début du XVIIe siècle, affirmait que Dieu n'avait pas tiré les habitants des Highlands de la glaise, mais plutôt de la bouse de vache. Et depuis que les Lowlanders avaient compris l'intérêt du système politique et surtout économique anglais, la fin des Highlands paraissait bien programmée : restait à se prémunir contre leurs raids toujours possibles en laissant par ailleurs ces sauvages habitants (mal) survivre sur leurs terres incultes.

Mais il ne faudrait pas pour autant considérer les Highlands comme un bloc homogène dans sa foi jacobite. Diverses logiques et diverses

[1] *Jean-Claude Crapoulet,* Histoire de l'Écosse, *Que sais-je ? n°1487.*
[2] *Élisabeth Ière régna près de cinquante ans, de 1558 à 1603.*
[3] *La religion réformée de l'Écosse. Voir note en annexe.*
[4] *L'église anglicane d'Écosse, qui a conservé ses évêques, est dite épiscopalienne. Après Culloden, les épiscopaliens, suspects de sympathies jacobites, subiront de longues années de persécution.*

fidélités, politiques, religieuses, familiales coexistaient entre les clans ou au sein du même clan. D'autant que là-haut, on avait gardé la fâcheuse habitude de se livrer les uns contre les autres à de sévères affrontements, qui montraient certes des caractères bien trempés et sévèrement irréductibles, mais creusaient d'insondables micro-divisions.

Il faut souligner que tous les clans des Highlands ne rejoignirent pas le Prince, et que tous les habitants des Lowlands n'appartinrent pas au camp anglais. Comme dans chaque guerre civile, il y eut des familles déchirées, des clans partagés. Des MacLeod, des MacDonald, et même des Campbell, enfants d'un même clan, se retrouvèrent face à face, sur la lande de Drumossie. Pour certains ce fut par conviction, pour d'autres par fidélité à la parole donnée ; pour quelques-uns enfin, par prudence, car à partager ses sympathies, on se retrouve pour moitié dans le camp du vainqueur.[5]

Toute cette complexité, ces enchevêtrements d'intérêts et de passions, les Stuarts réfugiés à l'étranger depuis trop longtemps ne pouvaient et ne voulaient les voir, et Charles-Édouard moins que tout autre. D'ailleurs, les rapports qu'ils recevaient, en Italie ou en France, les informaient-ils de l'état d'esprit des zones les plus peuplées d'Écosse ? Leur disaient-ils la répulsion des presbytériens pour le catholicisme ? Les informateurs jacobites annonçaient-ils au Prince les aménagements en cours en Écosse ? Depuis la dernière tentative de soulèvement, en 1719, le général George Wade avait fait construire plus de quatre cents kilomètres de routes et plus de quarante ponts pour permettre aux troupes et au ravitaillement de traverser les montagnes des Highlands. Il avait réactivé le système des fortifications, et entrepris de recruter des Highlanders, dont il savait l'ardeur au combat et le courage, pour assurer le maintien de l'ordre.[6]

---

[5] *Cette division familiale est le point de départ du roman de Stevenson,* Le maître de Ballantrae.
[6] *Les compagnies ainsi créées donneront naissance, en 1739, au régiment régulier de la Black Watch (Garde Noire), ainsi nommée à cause du tartan gouvernemental, vert, noir et bleu, de leur uniforme.*

Les relations entre l'Écosse et l'Angleterre s'étaient déjà durcies en 1705. L'Alien Act[7], voté à Londres cette année-là, mettait les Écossais en demeure d'entamer le processus d'union des deux Parlements – à parler clair, il s'agissait de voir le Parlement écossais se fondre dans le Parlement de Grande-Bretagne. Malgré l'hostilité que ce projet souleva en Écosse, les manifestations, bien contenues, n'eurent pas de suites.

Quant à l'Acte d'Union des Parlements, même si ses opposants étaient majoritaires chez les Écossais, leurs divisions empêchèrent toute action efficace. Les manifestations populaires eurent beau se succéder, l'Acte fut entériné en 1707 et l'Écosse, sans pouvoir s'y opposer, se vit contrainte à un véritable « suicide politique ».

Enfin, et le sujet n'est pas mince,[8] Jacques III et son fils, fervents catholiques, ne semblaient pas prendre en compte les tensions religieuses qui avaient déjà fait perdre leur trône (et même leur tête) aux rois Stuarts. Ni l'un ni l'autre ne paraissaient comprendre que le temps de l'intransigeance était passé.

La situation de l'Écosse était-elle le souci de Jacques III et de son fils ? Il apparaît dans l'ouvrage de J.-J. E. Roy, et particulièrement à la lecture des courriers du Prince qu'il cite, que la grande affaire d'Édouard Stuart est de reconquérir pour son père la couronne des trois royaumes, l'Écosse, l'Irlande, et l'Angleterre surtout. À la cour de Louis XIV, les Stuarts sont honorés comme des rois, à Rome encore, le Vieux Prétendant est traité comme tel. Quant à Charles-Édouard, il se présente, s'annonce et signe obstinément ses courriers de son titre de Prince de Galles.

Une tendance persistante de l'historiographie, à laquelle se réfère J.-J. E. Roy, et que Voltaire[9] avait suivie avant lui, estime qu'en 1744-1745, l'Angleterre est dirigée par un roi dont on n'oublie pas qu'il fut

---

[7] *L'Alien Act établit que les possessions écossaises en Angleterre seront traitées comme appartenant à des étrangers, y compris dans les transmissions par héritage. L'acte établit aussi un embargo qui touche la moitié de la production écossaise : les exportations vers l'Angleterre et ses colonies anglaises leur seront interdites. Cependant l'Acte ne prendra pas effet si les Écossais entreprennent des négociations en vue de l'Union des Parlements.*

[8] *Seules certaines régions reculées des Hautes Terres étaient fidèles au catholicisme écossais, ainsi que les Hébrides et les Small Isles (Canna, Muck, Eigg, Rum).*

[9] *Dans le* Précis du siècle de Louis XV, *Voltaire consacre les chapitres XXIV et XXV aux « Entreprises, Victoires, Défaite, Malheurs déplorables du prince Charles-Édouard Stuart ».*

l'Électeur de Hanovre, un roi qui ne parle pas anglais, encore moins gaélique, et qui doit son trône à sa confession anglicane. Cette même Angleterre, assurent le parti français et les Stuarts, est mal gouvernée, mal défendue et il est réaliste d'envisager une restauration de la famille royale écossaise. La flotte rassemblée en 1744 était d'importance et un débarquement en Angleterre aurait dans ces circonstances tout pour réussir. Quant à dire que le rétablissement des Stuarts sur le trône s'opèrerait dans la foulée...

Rappelons que lorsque s'est posé le problème de la succession royale en 1688 et 1702, les deux Parlements se montrèrent intransigeants sur l'appartenance du futur roi au protestantisme. Et soulignons que si les troupes anglaises en 1745 se battaient en Hollande, il n'était pas si improbable de les faire revenir rapidement ; par ailleurs, l'armée anglaise n'était à court ni d'hommes, ni de munitions, ni de ravitaillement. La campagne du duc de Cumberland en 1746, à la poursuite de l'armée de Bonnie Prince Charlie, en fera la cruelle démonstration.

Il semble également difficile de se rallier à l'opinion de l'auteur, affirmant que le prince Stuart venait au secours des Écossais *pour les délivrer de l'oppression d'un souverain étranger*. Que l'oppression sur une grande partie de l'Écosse ait été réelle, nul n'en doute. Encore eût-il fallu s'en soucier plus tôt, beaucoup plus tôt. La lecture des courriers du prince fait apparaître une analyse moins généreuse : le sort de la seule Écosse n'aurait pas conduit les Stuarts dans une telle aventure. Leur *terre ancestrale* faisait simplement partie du dispositif de reconquête de la couronne britannique dont elle devait être le point d'appui, le bras armé, la zone de diversion. D'ailleurs, n'était-il pas un peu tard pour s'interroger sur le sort de l'Écosse et sur ses rapports avec son entreprenant voisin – il aurait fallu que les Stuarts, comme on l'a vu plus haut, aient quelque souci des libertés écossaises au moment de devenir rois d'Angleterre. Certains s'interrogent : fort de ses premières victoires, le Prince n'aurait-il pas pu négocier quelque adoucissement au sort des Écossais? Seulement voilà, l'histoire est écrite, et Charles-Édouard avait choisi d'utiliser les Écossais à la manière d'un grand féodal, rien de plus!

En 1745, il n'y a pourtant plus grand monde à imaginer une possible reconquête. Même la France a cessé de vouloir armer les Stuart. En Écosse, au sein même des cercles jacobites, on ne croit guère à la cause des anciens rois, à moins qu'elle ne soit puissamment soutenue par les monarchies catholiques – la France et l'Espagne. Les chefs fidèles à la cause des Stuart, on l'a lu, tentent de renvoyer en France ce jeune homme qui débarque sans argent, sans troupes et sans munitions. S'il n'avait pas été élevé en exil, près d'un père confit en dévotion, si des conseillers avaient formé son esprit aux réalités du gouvernement, de la politique étrangère, de l'économie, peut-être le Prince aurait-il compris que l'Écosse n'avait intéressé la France que comme machine de guerre contre l'Angleterre. En 1744, les liens de parenté que le jeune homme rappelle si volontiers au roi de France ne pèsent plus rien face aux impératifs de la guerre, de la paix et du commerce. Ni Charles-Édouard ni son entourage ne semblent concevoir que les temps ont changé, et les rois avec eux.

L'aide de la France ? Elle fut pourtant réelle, mais à chaque reprise (et il en alla de même avec l'Irlande), semblait frappée par un destin obstinément contraire. Par deux fois, les prétendants Stuarts virent leurs espoirs anéantis par la marine anglaise, les éléments et l'océan où se brisa la flotte rassemblée par le roi de France. Tempête, bateaux coulés, contretemps dans l'arrivée des navires porteurs d'or, d'armes et de troupes, décisions prises trop tard par les alliés du Prince : on rejoint une autre constante du destin de Bonnie Prince Charlie. Lorsqu'on présentait un officier à Napoléon Ier, après avoir entendu ses états de services et ses exploits, l'empereur avait coutume de demander, en bon méditerranéen superstitieux, digne héritier de Rome, si l'homme avait de la chance, s'il était né sous une bonne étoile. Dans les *Mémoires d'outre-tombe*, Chateaubriand a tranché à propos du Stuart : « Il avait l'intelligence, le courage et la séduction ; que lui a-t-il manqué ? La main de Dieu. » Une formule qui aurait pu s'appliquer à toute la famille Stuart dont Roy souligne quel mélange extraordinaire de malheur et de chance les accompagna.

En lisant les longues lettres envoyées par Charles-Édouard se dessine le portrait d'un prince comme on en rêve. Ardent et respectueux, courageux et humble, défenseur de sa foi, de ses sujets, prêt à risquer sa vie en tout lieu. Pour un peu, on le croirait fin politique et stratège avisé, et il pensait l'être. Ce manque de réalisme, cette absence du cynisme nécessaire à qui veut jouer gros jeu parmi les puissants du monde, on le retrouve dans tous les « beaux gestes » chevaleresques, dans son ardeur à se jeter dans des combats inégaux, dans la façon dont il arrive en Écosse les mains et les soutes vides, l'idéalisme et la fierté de soi pour bagage. Emportement et générosité, courage et manque de réflexion à long terme, possédant réellement un charme qui entraîne et persuade : Charles-Édouard Stuart présente bien des similitudes avec son aïeule Marie Stuart. Comme elle, promoteur et victime de son aventure, ce prince européen, exilé de la troisième génération, bercé dans le rêve d'une royauté obsolète, se croyait l'avenir de sa dynastie alors qu'autour de lui tout démentait ses aspirations. Aussi archaïque, à sa façon, que ses Highlanders, il ne sut pourtant pas charger à leurs côtés, l'épée à la main, dans le terrible assaut des hommes des Hautes Terres. La lumière merveilleusement héroïque, romantique, des longs mois de traque dans les Highlands rayonne surtout du courage, du dévouement, de la fidélité de ceux qui, jacobites ou non, protégèrent le proscrit.

Et c'est de façon tout à fait clémente que J.-J. E Roy glisse sur la vie du prince après son retour d'Écosse, sur les longues années romaines où s'enterre sa destinée entre les femmes et l'alcool. On aurait aimé que le Stuart sache reconnaître le désastre de ses choix stratégiques, ressente un soupçon de remords pour ce manque de caractère qui lui fit abandonner ses hommes au soir de Culloden. Au lieu de cela, il n'émettra jamais le moindre regret quant au malheur dans lequel il avait entraîné ceux qui lui avaient été fidèles. Pitoyable, il continua jusqu'à sa mort à se plaindre de la trahison de ses « montagnards » et de la défection du roi de France.

Revenons en arrière. En 1692, dans ce glen qui deviendra la Vallée des larmes, un détachement de soldats à la solde de l'Angleterre (combien de Campbell ?) assassine les MacDonald de Glencoe et parmi eux, MacIan, leur chef[10]. Loin d'être une affaire de terrain, ce massacre avait été soigneusement prémédité par la Couronne « pour le bien et la sûreté du pays ». Dans la froide organisation du massacre et dans

---

[10] *MacIain de Glencoe, chef des MacDonald, avait prêté le serment de fidélité exigé des clans par les souverains Guillaume III et Mary avec quelques jours de retard. En représailles, une quarantaine de membres de son clan furent assassinés par les soldats à qui ils avaient offert l'hospitalité. Ce qui passa d'abord pour une action militaire isolée se révéla, grâce à l'enquête menée (déjà !) par des journalistes, être une manœuvre organisée sur ordre de la Couronne.*

sa violence meurtrière, pointe déjà la préfiguration de Culloden. De la même façon, l'ordre du jour de Charles-Édouard Stuart pour la bataille sera trafiqué par son adversaire, le duc de Cumberland, avant d'être diffusé auprès des troupes de la Couronne. Le jeune duc – il avait le même âge que le Prince – n'avait pas hésité à ajouter aux consignes du Stuart l'ordre, apocryphe, de « ne pas faire de quartier aux troupes de l'Électeur, sous quelque raison et en quelque circonstance que ce soit »[11]. Manœuvre à double détente : Cumberland excitait l'ardeur au combat de ses hommes et s'absolvait par avance de représailles qu'il projetait exemplaires. À Glencoe, il s'agissait de montrer aux Highlanders ce qu'il en coûte d'atermoyer avec l'Angleterre. À Culloden, les Écossais devaient en plus expier le déshonneur infligé à Prestonpans, la marche sur Londres de 1745 et la peur subie par les Anglais. Il fallait en finir avec toutes les tentatives de soulèvements précédents, ôter à jamais aux Écossais le goût et le désir de toute tentative de révolte, « pour le bien et la sûreté du pays »[12].

Dans les semaines qui suivirent l'affrontement, la répression fut totale. Non content d'avoir achevé les blessés sur le champ de bataille, on traqua les « rebelles » partout où ils avaient cherché refuge, ceux qui les hébergeaient ou étaient soupçonnés d'héberger des soldats du Prince furent eux aussi passés par les armes. Les prisons se remplirent.

Les exactions vont durer des mois, l'extermination méthodique n'épargnera ni les familles, exécutées ou expulsées, ni les demeures, confisquées ou brûlées, ni même le bétail, égorgé dans les champs. Pour être plus sûr d'extirper le mal jusqu'à la racine, on supprima aux chefs de clans leurs pouvoirs juridiques sur les hommes et sur les

---

[11] *La rumeur de cette consigne, soi-disant donnée par George Murray, fut le prétexte justifiant les atrocités perpétrées par Cumberland après sa victoire, et le massacre non seulement des soldats blessés ou sans défense de l'armée en déroute, mais aussi d'innombrables femmes et enfants. On estime à un millier les combattants Écossais qui tombèrent au champ de bataille mais à plus de trois mille ceux qui périrent au cours des trois mois qui suivirent, où Cumberland gagna le surnom de Boucher.*

[12] *Rappelons la quatrième strophe du* God save the King *: « Qu'il calme la sédition / Et qu'il se rue comme un torrent / Pour écraser le rebelle écossais / Que Dieu sauve le Roi. »*

terres, signe avant-coureur des Évictions[13]. Par l'Acte de désarmement (Disarming Act)[14] de 1746, les emblèmes propres aux Hautes Terres sont déclarés hors-la-loi. Les armes sont confisquées, hommes et femmes perdent le droit de porter le tartan ou tout ce qui rappelle leur costume traditionnel. Le bag pipe (la cornemuse), instrument guerrier, est banni.[15] Nombreux furent les hommes des clans qui, pour tenter de survivre, s'enfuirent en Europe ou en Amérique. Quelques années après la bataille, certaines régions des Highlands avaient perdu plus de la moitié de leur population, et seules les ruines des fermes témoignaient de l'ancien mode de vie. Paradoxalement, un seul refuge se présentera assez rapidement aux Highlanders, l'engagement dans l'armée anglaise[16], où ils retrouveront la gloire de porter leurs couleurs et le bonheur (très esthétique, mais discutable) de charger au son du bag pipe, au Canada, puis en Afrique ou aux Indes.

Après tant d'atrocités vint le temps de la transfiguration. Le soulèvement jacobite de 1745, Culloden et sa répression se transformèrent en un drame exemplaire, conduit par un prince exemplaire. Le besoin du malheur comme mode de communion serait-il une composante du caractère celtique ? S'il en est ainsi, Cumberland le boucher a fourni plus de martyrs que l'on en pouvait rêver pour créer une tragédie essentielle à l'identité écossaise, et Charles-Édouard Stuart est devenu

---

[13] *À la fin du XVIIIe les nobles anglais ou écossais découvrent que, dans les Highlands, les moutons sont plus rentables que leurs misérables fermiers. Les paysans sont jetés hors de leurs fermes, privés de terre, déportés parfois, ou réduits à l'émigration. À moins qu'ils ne meurent de faim, tout simplement. Le mouvement des Clearances (les Évictions) durera jusqu'au milieu du XIXe siècle, s'étendant à l'Irlande où il sera particulièrement virulent.*
[14] *Il sera aboli en 1782.*
[15] *C'est une des sources de l'expansion, dans les Highlands et dans les Hébrides, de la* mouth music (puirt a beul), *dans laquelle le son de la voix imite les instruments interdits. Au XIXe siècle, l'interdiction d'origine religieuse des instruments de musique à danser, principalement des violons, entraînera un nouveau développement de ce type de musique.*
[16] *En 1746, les soldats des régiments des Highlands sont autorisés à porter le costume des Hautes Terres. Mais c'est à partir de 1757, lors de la Guerre de 7 ans, que le Premier ministre anglais, William Pitt, entamera un recrutement en masse de Highlanders – dont certains avaient combattu à Culloden dans les rangs jacobites.*

une figure fondatrice, non par ce qu'il a accompli, mais dans ce qui s'est cristallisé autour de lui. Comme s'il avait, à son corps défendant, permis à l'Écosse des clans – dont la mort était programmée depuis que certains avaient emboîté les pas de l'Angleterre dans la marche enchantée vers les affaires, les échanges commerciaux et l'enrichissement subséquent – de faire une fin mémorable, terrible mais flamboyante. Le vieux monde se serait immolé pour servir à l'Écosse contemporaine de réservoir en figures héroïques et sacrificielles, selon le rituel de ces nations romantiques qui se fonderont sur le récit des gloires enfuies, des identités niées et des libertés asservies.

Avec l'équipée de Charles-Édouard, une fracture fondamentale s'approfondit au point de devenir criante et de tuer pour un temps toute velléité de s'y opposer. Se profile déjà l'Écosse de l'émigration, des transferts de population (ils culmineront avec les évictions) et de la grande mutation économique et préindustrielle. La structure sociale organisée autour des clans est sortie définitivement brisée de l'aventure du prince. Restent les hommes. Encore une quarantaine d'année, et les nouveaux maîtres de Hautes Terres vont commencer à les remplacer par les très rentables moutons.

Très vite aussi naît la nostalgie des temps primitifs et des sentiments nobles qui les accompagnaient, époque virile et barbare de la vraie grandeur, réelle et fantasmée, transposition d'une Histoire approximative par un imaginaire enfiévré. Ce réveil qui va investir le monde des arts, des lettres, de la musique et de la poésie n'est pas propre à l'Écosse, mais l'Écosse va le peupler d'images et de références. En 1760 paraissent les premiers poèmes ossianiques de MacPherson. C'est à peine quinze ans après Culloden ! Les Highlanders ne désirent plus seulement pour butin le seul royaume d'Angleterre, c'est sur le continent qu'ils déferlent dans une tempête d'embruns glacés d'où surgissent harpeurs, prêtresses et guerriers du Nord. Ossian, le barde aveugle, la mémoire du Grand Temps, fait vibrer l'Europe entière et se lever des nations oubliées en réveillant les tribus archaïques des Hautes Terres. Empire du verbe et des images, les écrivains, les peintres, même un futur empereur, les plus grands dans l'Europe savante et rayonnante, les chanteurs et les marcheurs d'épopées, tous lui emboîtent le pas!

Et sont arrivés les premiers visiteurs, lettrés et curieux, venus se dépayser, se réfugier ou découvrir des émotions esthétiques fortes, pré-ethnographiques. Certes, leur aventure s'est longtemps arrêtée aux rives du Loch Lomond, l'extrême sud des Highlands, mais le mouvement est donné, et l'Écosse niée dans les Actes rayonne dans les âmes!

La mémoire et les Honneurs de l'Écosse,[17] encore. En 1818, Walter Scott redécouvre les insignes royaux écossais dans une salle du château d'Édimbourg où ils avaient été murés en 1707, au lendemain de l'Union des Parlements. Aux fêtes qu'il organise pour la venue du roi George IV, les Écossais portent à nouveau le kilt et le tartan, et l'Angleterre elle-même se pare de la dépouille des guerriers enfin domptés ; la reine Victoria adore le tartan et le prince Albert, son époux allemand, en dessine un tout frais, tout neuf pour les murs de leur nouveau château, à Balmoral.

Aujourd'hui, la forteresse qui domine Édimbourg expose ses *regalia*[18] à l'admiration des visiteurs. Au centre règne la Pierre de la destinée : elle a abandonné le trône royal de Westminster pour réintégrer l'Écosse, pierre semblable à celle qui, à Tara criait pour introniser les rois. Un Parlement élu siège dans la capitale, et l'Écosse semble se réapproprier la trame de son destin. À Culloden, sur les terres patiemment rachetées, la lande reprend peu à peu son visage du matin de la bataille et les archéologues travaillent à retrouver la mémoire des combats[19].
Tout est calme à l'horizon des Hautes Terres. Tout ? Lorsque les différentes associations qui veillent au souvenir de l'Écosse entreprirent de célébrer le 250e anniversaire de Culloden, en avril 1996, Londres accepta un certain nombre de commémorations, notamment à Glenfinnan. Mais opposa un refus définitif à la présence de tout

---

[17] *Cf. ci-dessous.*
[18] Régalia, Honneurs de l'Écosse : *il s'agit des trésors de la couronne et des insignes royaux, couronne, sceptre, épée, main de justice. Aujourd'hui s'y est ajoutée la pierre sacrée de Scone, enlevée par Édouard Ier en 1296, et revenue en Écosse en 1996, après 700 ans passés sous le siège du couronnement à l'abbaye de Westminster.*
[19] *Depuis 2001, une équipe de l'Université de Glasgow, sous la direction du professeur Pollard, fouille le champ de bataille de Culloden. Les récentes trouvailles tendent à prouver que le combat n'a peut-être pas été aussi inégal qu'on l'admet généralement. Outre une impressionnante quantité d'armes et de munitions, les travaux des archéologues ont révélé que le champ de bataille couvrait une surface plus grande que la lande que l'on visite aujourd'hui.*

regroupement de plus trois personnes en tenue de Highlander sur le champ de bataille de Culloden.

Les Anglais seraient-ils toujours persuadés que chez les Celtes le temps ne s'écoule pas comme ailleurs et que là-haut, près des collines, les fantômes ont la vie dure…

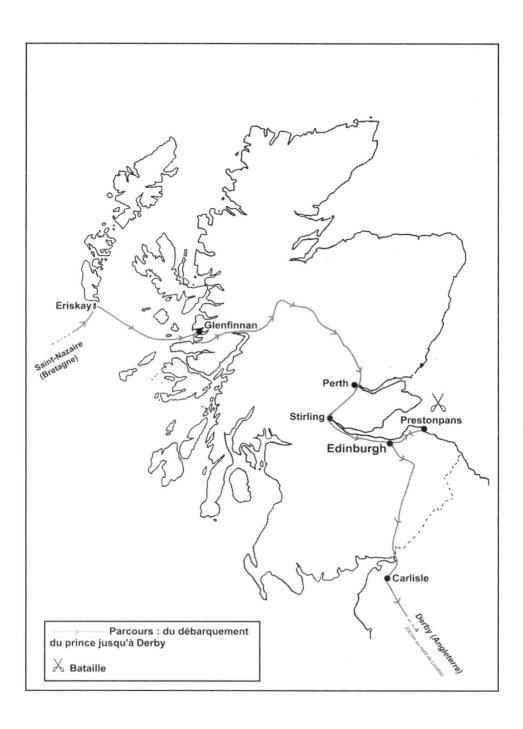

Eriskay

Glenfinnan

Saint-Nazaire
(Bretagne)

Perth

Stirling

Prestonpans

Edinburgh

Carlisle

Derby (Angleterre)
200 km au nord de Londres

Parcours : du débarquement
du prince jusqu'à Derby

Bataille

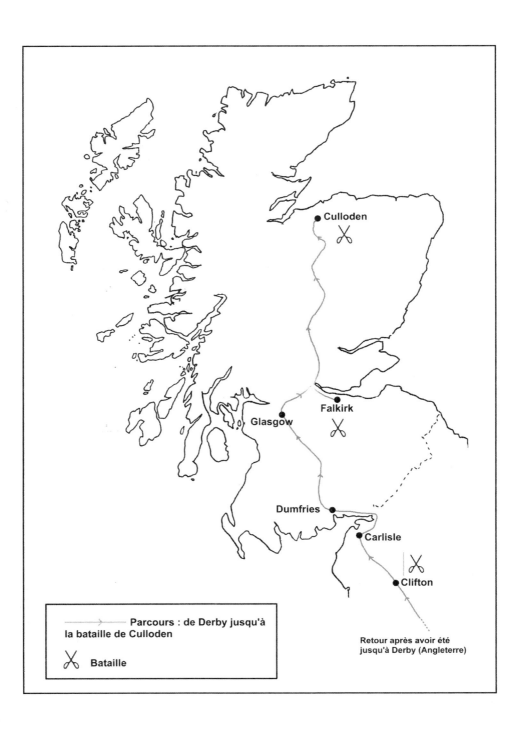

Culloden

Falkirk

Glasgow

Dumfries

Carlisle

Clifton

Parcours : de Derby jusqu'à
la bataille de Culloden

Bataille

Retour après avoir été
jusqu'à Derby (Angleterre)

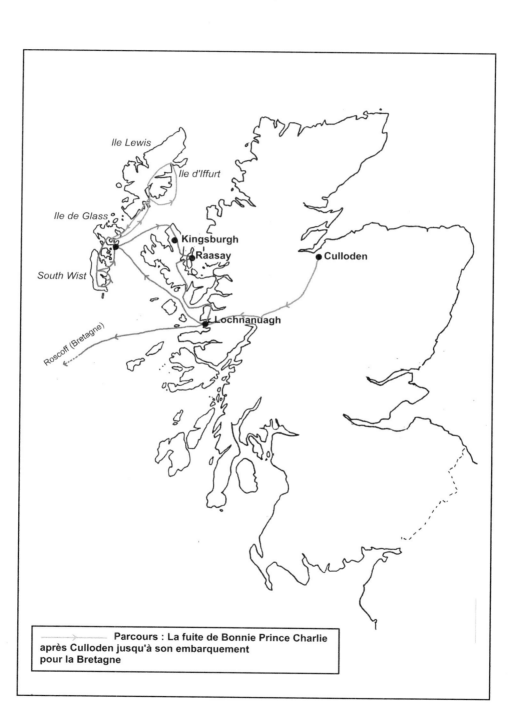

Ile Lewis

Ile d'Iffurt

Ile de Glass

Kingsburgh

Raasay

Culloden

South Wist

Lochnanuagh

Roscoff (Bretagne)

Parcours : La fuite de Bonnie Prince Charlie
après Culloden jusqu'à son embarquement
pour la Bretagne

La déclaration d'Arbroath

En 1320, soit six ans après la bataille de Bannockburn où Robert Bruce écrasa les troupes d'Édouard II d'Angleterre et devint roi d'Écosse, ses compagnons, leurs clercs et les principaux chefs de clans se réunissent à Arbroath. Le 6 avril, ils rédigent et signent une déclaration solennelle où ils affirment leur liberté et celle de leur pays, y compris contre le pouvoir royal si celui-ci tentait de se rapprocher des Anglais ou de se soumettre à eux. Le document, qui porte les sceaux de 38 nobles écossais, est remis au pape, à Rome. Le souverain pontife reconnaît l'indépendance du royaume d'Écosse. L'extrait traduit ci-dessous rappelle d'abord les exactions anglaises et célèbre les louanges de Robert Bruce. Puis vient la célèbre proclamation qui fonde, en ce début de XIVe siècle, le nationalisme écossais tel qu'il perdurera jusqu'à nos jours. L'adhésion de l'Écosse au presbytérianisme de John Knox, les différents soulèvements jacobites, et jusqu'aux soi-disant désertions des Highlanders lorsque Charles Édouard Stuart les fait marcher sur Londres, se profilent déjà dans cette proclamation.

« Notre nation vécut ainsi dans la liberté et dans la paix, jusqu'au jour où ce puissant roi des Anglais, Édouard, père de celui qui règne aujourd'hui, en un temps où notre royaume se trouvait sans roi, où le peuple ne montrait ni mauvaiseté ni traîtrise et n'avait nulle pratique des guerres et des invasions, vint soi-disant en ami et en allié pour nous terrasser comme un ennemi. Les actes de cruauté, le massacre, la violence, le pillage, l'incendie, les prélats emprisonnés, les monastères brûlés, l'enlèvement et le meurtre des moines et des moniales, et les autres outrages sans nombre qu'il a commis contre notre peuple, sans égard pour l'âge ou le sexe, la religion ou le rang, personne ne pourrait les décrire ou les imaginer s'il ne les a vus de ses propres yeux.

Mais nous avons été libérés de ces abominations sans nombre, avec l'aide de Celui qui nous afflige de maux mais aussi nous soigne et nous guérit, par notre infatigable prince, Roi et seigneur, notre seigneur Robert. Lui, pour que son peuple et son héritage puissent être délivrés du joug de nos ennemis, subit la peine et la fatigue, la faim et les périls, comme un nouveau Judas Macchabée ou Josué, et les supporta vaillamment. C'est lui aussi, divine Providence, en suivant son droit de succession et suivant aussi les lois et coutumes que nous conserverons jusqu'à la mort, et avec le consentement et l'assentiment de nous tous, dont nous avons fait notre Prince et Roi. À lui, car il est celui par qui la délivrance a été donnée à notre peuple, nous sommes liés à la fois par la loi et par ses mérites qui garantissent la protection de notre liberté, et, quoi qu'il advienne, nous entendons rester à ses côtés.

Pourtant s'il abandonne l'œuvre commencée, et s'il cherche à faire de nous des sujets du roi d'Angleterre ou des Anglais, alors nous n'hésiterons pas à le chasser comme un ennemi et comme le saboteur de son droit et du nôtre, et nous prendrons pour roi un autre homme qui soit capable de nous défendre.

Aussi longtemps qu'une centaine d'entre nous sera en vie, nous ne serons jamais, sous aucune condition, soumis aux Anglais. Car en vérité nous ne combattons ni pour la gloire, ni pour les richesses, ni pour les honneurs, mais seulement pour la liberté, qu'un homme de bien n'abandonne qu'avec sa vie. »

Les presbytériens d'Écosse

Lorsque la Réforme commence à s'étendre en Europe, l'Écosse demeure, par tradition, catholique romaine. Le pays est pauvre, et pourtant l'Église se trouve à la tête d'immenses richesses. L'institution souffre des mêmes maux qu'en France ou en Italie. Au XVᵉ siècle déjà, quelques mouvements, rapidement réprimés, s'étaient manifestés contre les abus du clergé : immoralité, trafic des indulgences autant que des bénéfices, mainmise du haut clergé et des ordres réguliers sur les biens matériels de l'Église, etc. Voilà la situation dans laquelle les idées de la Réforme, portées par les écrits de Luther, pénètrent en Écosse au début du XVIᵉ siècle.

C'est pourtant le calvinisme qui, avec John Knox (1505-1572), va imposer définitivement à l'Écosse l'exercice de sa foi et même de son gouvernement. Opposé à toute forme de religion relevant des pratiques et du dogme romains, refusant toute autorité qui ne soit pas celle du peuple des croyants, le presbytérianisme prêché par John Knox instaure la suppression de la messe, des prêtres, de l'obéissance au pape ; il donne la direction des églises aux pasteurs et aux anciens. Fait essentiel pour l'histoire de l'Écosse, il se proclame violemment anti-monarchiste, puisque les Stuart, catholiques fervents, ont pour protecteur le Pape et pour allié le roi de France.

En 1560, le Parlement écossais vote l'interdiction officielle du culte catholique. Les presbytériens, qui élisent eux-mêmes leur pasteur, établissent quatre degrés de juridiction, le conseil presbytéral, le consistoire, le synode provincial, l'Assemblée générale enfin. Celle-ci, représentative de l'ensemble des fidèles, devient de ce fait une force politique primordiale dont l'influence perdurera même après l'Union des Parlements d'Angleterre et d'Écosse, en 1707, où elle représentera l'ultime forme de gouvernement national écossais. [1]

Après avoir fait un moment alliance avec l'Angleterre protestante de rite anglican, John Knox s'éloignera de cette église jugée encore trop proche de la forme romaine – et trop soumise au roi. Marie de Guise, veuve de Jacques V, tout comme Marie Stuart, sa fille, échouent à ramener l'Écosse

---

[1] *Voir* Histoire de l'Écosse, *J.-C. Crapoulet,* Que sais-je ? *1487.*

au catholicisme. Un temps, Jacques VI d'Écosse, le fils de Marie Stuart, lui-même protestant, s'assure le soutien des catholiques et instaure un certain apaisement. Mais lorsqu'il succède à Élisabeth Ire sur le trône d'Angleterre, il favorise de plus en plus l'Église anglicane, et tente, avec une certaine ambiguïté, d'affaiblir l'autorité presbytérienne. Moins habile que lui, son successeur Charles Ier provoque, par ses mesures en faveur de l'église anglicane, la révolte de l'Écosse. Le 28 février 1638, « jour glorieux du mariage du royaume avec Dieu », nobles, bourgeois, pasteurs signent le National Covenant qui proclame leur fidélité au presbytérianisme écossais. Face aux maladresses de Charles Ier, les presbytériens d'Écosse reçoivent le soutien des puritains anglais. S'ensuivent, dans les deux royaumes, la défaite des armées de Charles Ier, puis son exécution, la fuite de Charles II son successeur, et le protectorat de Cromwell. Neuf ans après, c'est le retour de Charles II ; sa maladresse dans le traitement des affaires religieuses d'abord, puis le règne désastreux de Jacques II d'Angleterre (VII d'Écosse), catholique intransigeant, conduisent à l'éviction des Stuart. En 1688, Guillaume d'Orange leur succède et apaise les conflits. En 1690, le presbytérianisme est établi comme religion officielle de l'Écosse, par acte du Parlement. L'Angleterre reste anglicane et le terme de presbytérien sera désormais fréquemment utilisé pour désigner les seuls protestants écossais.

Roderick MacKenzie

Juin 1746. La traque du Prince bat son plein. Le duc de Cumberland a pris position à Fort Augustus, et mène la chasse, tandis que sur la côte, les vaisseaux, venus de France embarquer les rescapés, échouent à accoster. Dans les collines, le Prince erre d'un abri à l'autre, entouré d'une poignée de fidèles, les hommes de Glenmoriston. Parmi eux, Roderick MacKenzie, le fils d'un joaillier d'Édimbourg, est l'un des plus ardents, et le Prince, qui aime à souligner combien le jeune Ecossais lui ressemble – même taille, mêmes cheveux, mêmes yeux – a fait de lui son garde du corps.

Ils ont trouvé refuge dans une grotte, mais les patrouilles se mettent à ratisser plus serré encore la zone où ils se terrent. Le chemin d'un groupe de soldats anglais – les *redcoats* – croise celui de Roderick MacKenzie qui, jouant de sa ressemblance, a le réflexe héroïque d'entraîner les Anglais sur ses traces. Très vite, il est atteint par leur tir. Il trouve pourtant le courage de murmurer, avant de mourir : « Vous venez de tuer votre Prince ».

La patrouille, sûre d'avoir abattu le fuyard recherché – et si chèrement mis à prix – coupe la tête du cadavre, et la présente au duc de Cumberland, à Fort-Augustus. Celui-ci n'est qu'à moitié persuadé de la mort du Stuart. Certes, la ressemblance est troublante, mais le vainqueur de Culloden souhaite que la dépouille soit authentifiée par un familier du prince. Et l'on expédie le chef du malheureux MacKenzie à Londres, où personne ne donne un avis définitif. On signale aux émissaires de Cumberland que, dans la prison de Carlisle, Peter Morrison, l'ordonnance du Prince, attend son exécution. On l'envoie chercher, mais lorsqu'il arrive à Londres, la tête, comme on peut le deviner, n'est plus en état d'être identifiée par qui que ce soit. Dans le doute, et alors que Cumberland a regagné Londres, la pression sur le fugitif se relâche quelque peu.

Par son sacrifice, Roderick MacKenzie avait offert au Prince quelques jours de répit, un sursis vital à ce moment de son aventure. Peu après, les hasards de sa fuite placeront Charles-Édouard sous la protection des « voleurs » du Glenmoriston (voir chapitre XIV).

Just-Jean-Étienne Roy (1794-1872)

Paru en 1855 dans la collection « Bibliothèque chrétienne des familles » de l'éditeur catholique Mame, à Tours, *Le Dernier des Stuart*, connut un réel succès sous le Second Empire puisque le livre fut réédité au moins six fois jusqu'en 1871. Son auteur, Just-Jean-Étienne Roy était né en 1794 à Beaumette-lès-Pin, en Haute-Saône (aujourd'hui dans la région de Franche-Comté). Il fit une carrière de professeur de collège, notamment au collège de Pont-Levoy, dans le Loir-et-Cher, mais fut surtout l'auteur incroyablement prolifique d'ouvrages destinés aux élèves des écoles et collèges catholiques. Le catalogue de la Bibliothèque Nationale de France contient 1 571 références de livres de sa plume, dont, il est vrai, beaucoup correspondent à des rééditions, nombre de ses livres ayant été réédités une dizaine de fois, parfois même plus de 20 fois, et souvent de nombreuses années encore après sa mort, certains jusqu'au début du XXᵉ siècle. Just-Jean-Étienne qui écrivit beaucoup d'ouvrages historiques, signa une partie de ses livres de son nom, mais utilisa aussi un grand nombre de pseudonymes, en particulier pour ses nombreux romans destinés à la jeunesse : A.M., Armand de B***, Étienne Gervais, Just Girard, Félix Joubert, Fr. Joubert, Frédéric Koenig, Marie-Ange de T***, Théophile Ménard, Stéphanie Ory, etc. Ses livres parurent chez des éditeurs catholiques : Ardant à Limoges, Lefort à Lille et surtout Mame, à Tours, chez qui il publia plus d'une centaine de titres.

Just-Jean-Étienne Roy fit d'abord paraître en 1835 un drame en trois actes, Baldini ou Épisode d'un voyage en Italie, qu'il avait composé à l'occasion de la fête du directeur de son collège, puis en 1838, il fit paraître une traduction française de la Chronique de saint Grégoire de Tours (dont l'original est en latin). En 1849, alors que les chemins de fer en étaient encore largement à leurs débuts en France, il fit paraître à Tours le Guide du Voyageur sur le chemin de fer de Tours à Nantes, section de Tours à Angers. Sa production de livre ne commence véritablement qu'à partir des années 1850 et elle « explose » dans les années 1860, après son départ en retraite. La variété et la quantité de ses œuvres est impressionnante. Il publie des livres sur l'histoire de nombreux pays : Allemagne, Angleterre, Australie, Chine et Cochinchine, Espagne, Florence, Grèce, Russie, les colonies françaises, les États-Unis d'Amérique, etc., il fait paraître d'innombrables biographies de rois et de reines, de grands soldats, de grands marins, d'écrivains, de musiciens, etc. : Constantin le Grand, Charlemagne, les rois francs, Hugues Capet, Olivier de Clisson, Jeanne d'Arc, Charles V, Louis de La Trémoille, Louis XII, François

Ier, Michel Ange, Henri IV, Louis XI, Anne de Bretagne, Louis XIV, Marie-Antoinette, Madame Élisabeth, sœur de Louis XVI, Marguerite d'Anjou, La Tour d'Auvergne, Bossuet, Colbert, Vauban, Duguay Trouin (20 éditions !), Jean Bart, Dumont d'Urville, Tourville, Olivier de Clisson, Eustache Le Sueur, Raphaël, Parmentier, Richard Lenoir, Vauquelin, Hortense de Beauharnais, le maréchal de Villars, le maréchal de Catinat, Jean Racine, le grand Condé, le pape Sixte Quint, etc. On lui doit aussi un ouvrage sur les templiers (réédité en 2003), un autre sur les statues du jardin du Luxembourg à Paris, etc. Il recueille aussi et publie les souvenirs d'un officier de l'Expédition d'Égypte, ceux d'un vieux missionnaire en Cochinchine et au Tonkin, ceux d'un officier ayant pris part à la Campagne de Russie en 1812 et passé deux années de captivité en Russie... Son érudition est impressionnante, sa documentation solide, son style agréable. Son œuvre romanesque pour la jeunesse, également abondante, mériterait une étude d'ensemble. Cet auteur aujourd'hui oublié aura été après une carrière d'enseignant bien remplie un formidable éducateur par le livre, en particulier dans le domaine de l'Histoire, dans la seconde moitié du XIXᵉ siècle. Plusieurs autres de ses livres mériteraient certainement une réédition.

La lignée royale des Stuart, originaire de Bretagne

La famille Stuart, dont le dernier représentant mourut en 1807, descendait d'Alan *Dapifer*[1] Dol, le sénéchal du Comte Riwallon de Dol. Alan eut trois fils : Alan (dit parfois «l'Autre Dapifer») qui succéda à son père comme sénéchal de Dol, Riwallon qui devint moine et Flaad (ou Flaald) qui, parti pour l'Angleterre, s'établit à Monmouth vers 1102. Flaad eut un fils, Alan (surnommé Fitzflaad, le fils de Flaad), qui reçut d'Henri Iᵉʳ Plantagenêt des terres dans la région d'Oswesty (Shropshire). Cet Alan, qui mourut vers 1114, eut trois fils, William, Jordan et Walter. Ce dernier s'installa en Écosse où il devint le sénéchal, ou *Stewart,* de David Iᵉʳ. Le titre, héréditaire, se transforma en nom de famille. En 1314, en récompense de sa bravoure à la bataille de Bannockburn, Walter III Stewart (1292-1326) reçut pour épouse Marjory, fille de Robert Bruce. Leur fils, qui régna sur l'Écosse de 1371 à 1390 sous le nom de Robert II, fut le premier souverain de la dynastie des Stuart qui règnera sur l'Écosse jusqu'en 1707, sur l'Angleterre de 1603 à 1707, et sur la Grande-Bretagne, après l'union des Parlements anglais et écossais, de 1707 à 1714. Anne, la dernière souveraine Stuart, était la fille de Jacques II, et la demi-sœur du père de Charles-Édouard Stuart.

[1] Dapifer : officier de la maison royale responsable de la table du souverain, bouteiller. (Source Vocabulaire historique du Moyen Âge, François-Olivier Touati, dir.).

Les chants jacobites

Dans la tradition des pays celtiques, on chante les héros et leurs épopées, en des chants toujours actuels, quelque lointains que soit de drame ou l'exploit évoqué. Et jusqu'à Culloden, tout chef de clan avait ses bardes afin que nul n'ignore la présence dans la vie de chacun du passé glorieux et de l'héritage à assumer. Bonnie Prince Charlie et les martyrs de sa cause eurent leurs poètes et leurs célébrations, en vers et en musique. Certaines chansons furent composées très rapidement après Culloden, d'autres au XIXe siècle, lorsque le Prince fut devenu l'une des icônes de l'Écosse romantique. Certaines chansons sont attribuées aux martyrs jacobites, comme *The bonnie banks of Loch Lomond*.

Avant l'épopée de 1745, des poésies déjà, et des chansons, à clés ou à messages, célébraient les rois Stuart absents – les rois au-delà de la mer, les rois « par-dessus l'eau »[1]. Il nous a semblé intéressant d'en faire figurer ici un florilège. Nous y avons ajouté un poème « caché », qui faisait partie, comme les anamorphoses peintes, les minuscules portraits caché dans des bagues ou des boutons, des manifestations obstinée d'une fidélité admirable.

On notera en passant qu'aujourd'hui encore, le charme de Charles Edouard Stuart n'en finit pas d'inspirer les chansonniers. À preuve la chanson de Moïra Kerr, Charles Edward Stuart, où elle chante : The confident young who strongly challenged England's monarchy and changed the course of Scotland's History...[2]

---

[1] *Les Jacobites buvaient au roi, sans préciser son nom, pour laisser croire qu'il s'agissait du roi d'Angleterre et d'Écosse, Guillaume ou Georges. Mais un spectateur averti pouvait remarquer que, pendant le toast, les verres étaient levés au-dessus d'une coupe ou d'un vase contenant de l'eau. Message implicite : « Nous buvons au roi qui est au-delà de l'eau, au roi réfugié sur le continent, à notre roi Stuart. ».*

[2] *« Ce jeune homme sûr de lui qui défia vigoureusement le trône d'Angleterre et changea le cours de l'Histoire d'Écosse... »*

The Blackbird
Le merle

Once on a morning of sweet recreation,
I heard a fair lady amaking her moan,
With sighing and sobbing and sad lamentation,
Aye singing, «My Blackbird for ever is flown!
He's all my heart's treasure, my joy and my pleasure,
So justly my love my heart follows thee;
And I am resolved, in foul or fair weather,
To seek out my Blackbird, wherever he be.

«I will go. a stranger, to peril and danger,
My heart is so loyal in every degree;
For he's constant and kind, and courageous in mind.
Good luck to my Blackbird, wherever he be!
In Scotland he's loved and deeply approved,
In England a stranger he seemeth to be;
But his name I'll advance in Britain or France.
Good luck to my Blackbird, wherever he be!

«The birds of the forest are all met together,
The turtle is chosen to dwell with the dove,
And I am resolved, in foul or fair weather,
Once in the spring-time to seek out my love.
But since fickle Fortune, which still proves uncertain,
Hath caused this parting between him and me,
His right I'll proclaim, and who dares me blame?
Good luck to my Blackbird, wherever he be!»

C'était un beau matin, lors d'une promenade.
J'entendis une gente dame qui chantait
Un chant entrecoupé de sanglots lamentables:
«Mon merle, pour toujours, hélas, s'est envolé!
C'était mon seul trésor, ma joie, mon allégresse.
Si mon coeur veut te suivre, oiseau, c'est à bon droit;
Oui, je suis résolue à braver les averses,
Et à te rechercher, mon merle, où que tu sois.

PS. Malgré toutes ses recherches, l'éditeur n'a pu trouver la partition de ce chant.
En vue d'une deuxième édition, votre aide, cher lecteur, sera bienvenue.

«J'irai, moi l'étrangère au milieu des périls,
Car mon coeur fut et reste loyal envers toi,
En lui, tout est constant courage, rien n'est vil.
Tout mes voeux t'accompagnent, merle, où que tu sois!
Chaque Ecossais te jure amour et allégeance,
Alors que l'Anglais voit un étranger en toi;
Mais je crierai ton nom, ici tout comme en France.
Tous mes voeux t'accompagnent, merle, où que tu sois!

«La forêt réunit des espèces diverses,
Colombe et tourterelle ont le même séjour,
Et je suis résolue à braver les averses,
Et, le printemps venu, à chercher mon amour.
Mais, puisque la Fortune inconstante s'entête
A prolonger l'absence et l'éloigner de moi,
Je proclame ses droits, contre vents et tempêtes!
Tous mes vœux t'accompagnent, merle, où que tu sois!»

Le merle de la chanson est le prince exilé, le Vieux Prétendant James Francis Stuart, Jacques III d'Angleterre et VIII d'Écosse, selon les Jacobites. Pour se prémunir contre les poursuites, les Jacobites remplaçaient dans certains chants le nom du prince Stuart par un nom de code. Un autre exemple de cette pratique est le chant *The Bonnie Moorhen* (« Une poule d'eau ») ainsi que *A la santé du Roi*.

Les chants « déguisés » étaient un moyen parmi d'autres de masquer son Jacobitisme: portaits de Jacques III peints sur une toile de manière à n'être visibles que reflétés à la surface d'un cylindre d'acier poli placé en son milieu ; des rubans et des jarretières portant des inscriptions ou des initiales allusives ; de mystérieux toasts tels que « au Roi » avec le verre tenu par dessus une carafe d'eau pour désigner « le Roi au-delà des mers » ou « au Roi encore », allusion à une restauration souhaitée.

Un alphabet jacobite fut aussi inventé. Il consistait en une suite de mots commençant par les lettres de l'alphabet : « A Blessed Change. D. Every Foreigner Gets Home. James Keeps Loyal Ministers. No Oppressive Parliaments. Quickly Return, Stuarts. Tuck Up Whelps (= Guelps). Xert Your Zeal ». (« Changement béni:l'étranger rentre chez lui. Jacques conserve des ministres loyaux. Plus de parlement qui l'oppresse. Rentrez vite Stuarts. A chasser les Guelfes, exercez votre zèle ! »)

Un autre exemple d'évocation déguisée: le poème suivant trouvé sur la page de garde d'un livre qui appartenait à un partisan jacobite:

«I love with all my heart_____The Tory party here
The Hanoverian part_____Most hateful doth appear
And for their settlement_____I ever have denied
My conscience gives consent_____To be on James's side
Most glorious is the cause_____To be with such a king
To fight for George's laws_____Will Britain ruin bring
This is my mind and heart_____In this opinion I
Though none should take my part_Resolve to live and die»

«De tout mon coeur j'ai pris_____Le parti des Tories
Le parti des Hanovre_____Soit à jamais maudit!
À ce qu'il règne ici_____Je me suis opposé
Mon cœur consent encore_____A voir Jacques régner.
Ma cause est, comme on pense_____Le soutien à ce roi
Le soutien au Roi Georges_____Ruinerait la Patrie
En mon âme et conscience_____C'est là ce que je crois
C'est un choix qui m'honore_____J'y consacre ma vie»

A première vue, si l'on lit les deux parties successivement, il s'agit d'un long poème composé de vers courts proclamant l'allégeance aux Hanovre. Mais si on les met en vis-à-vis, c'est un court poème dont les vers longs font l'éloge des Stuart.

Here's to the king

Here's to the king, sir,
Ye ken wha I mean, sir
And to ev'ry honest man
That will do't again.
Fill up your bumpers high,
We'll drink a' your barrels dry;
Out upon them, fie! fie!
That winna do't again.

Here's to the chieftains
Of the Scots Highland clans;
They've done it mair than ance,
And will do't again.
Fill up your bumpers high,
We'll drink a' your barrels dry;
Out upon them, fie! fie!
That winna do't again.

When you hear the trumpets sound
Tutti tatti to the drum,
Up your swords, and down your gun,
And to the loons again.
Fill up your bumpers high,
We'll drink a' your barrels dry;
Out upon them, fie! fie!
That winna do't again.

Here's to the king o' Swedes,
Fresh laurels crown his head!
Pox on ev'ry sneaking blade
That winna do't again!
Fill up your bumpers high,
We'll drink a' your barrels dry;
Out upon them, fie! fie!
That winna do't again.

But to make a' things right, now,
He that drinks maun fight too,
To shew his heart's upright too,
And that he'd do't again.
Fill up your bumpers high,
We'll drink a' your barrels dry;
Out upon them, fie! fie!
That winna do't again.

À la santé du roi

C'est à la santé du Roi,
-Vous savez qui-, que je bois
Et de tous ceux qui sont prêts
A recommencer.
Emplis nos bocks juqu'en haut ,
Assêche tous tes tonneaux;
Honte à ceux qui ne voudraient
Point recommencer!

A la santé des vaillants
Chefs de nos valeureux clans;
Car eux, c'est plus d'une fois,
Qu'ils l'ont fait, ma foi!
Emplis nos bocks jusqu'en haut ,
Assêche tous tes tonneaux;
Honte à ceux qui ne voudraient
Point recommencer!

Si le clairon retentit,
Tati!, le tambour aussi,
Epées, pistolets en mains,
Et sus aux gredins!
Emplis nos bocks juqu'en haut ,
Assêche tous tes tonneaux;
Honte à ceux qui ne voudraient
Point recommencer!

A la santé des Suédois
Honneur et gloire à leur roi!
Honte aux lames qui se cachent
Pour fuir leur tâche!
Emplis nos bocks juqu'en haut ,
Assêche tous tes tonneaux;
Honte à ceux qui ne voudraient
Point recommencer!

Mais, pour rétablir nos droits,
Qui boit aujourd'hui devra,
Combattre et montrer qu'il a,
Un coeur juste et droit.
Emplis nos bocks juqu'en haut ,
Assêche tous tes tonneaux;
Honte à ceux qui ne voudraient
Point recommencer!

My bonnie moorhen

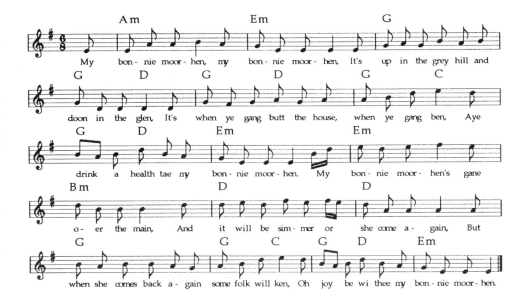

My bonnie moorhen(1), my bonnie moorhen
Up in the grey hills and doon by the glen
It's when ye gang but the hoose when ye gang ben
I'll drink a health tae my bonnie moorhen

My bonnie moorhen's gane o'er the faim
And it will be simmer ere she comes again
But when she comes back again some folk will ken
And drink a toast tae my bonnie moorhen

My bonnie moorhen has feathers anew
And she's a' fine colours but nane o' them blue
She's red and she's white and she's green and she's grey(2)
My bonnie moorhen come hither away

Come in by Glen Duich and doon by Glenshee
An' roun' by Kinclaven and hither tae me
For Ranald and Donald(3) are oot on the fen
Tae brak the wing o' my bonnie moorhen

Une poule d'eau(1), une poule d'eau,
 Qui s'en vient volant par monts et par vaux,
 Qu'on quitte sa ferme ou reste à huis clos,
 Un toast en l'honneur de la poule d'eau!»

 Cette poule d'eau a franchi la mer,
 Et ne reviendra que passé l'hiver.
 Plus d'un, le sachant, voudra aussitôt,
 Boire à la santé de ma poule d'eau.»

 A ma poule d'eau plumage nouveau,
 Aux jolies couleurs le bleu est de trop.
 Du rouge et du blanc, du vert et du gris,(2)
 Et ma poule d'eau s'en vient par ici.

 Partant du Glen Duich, le long du Glenshee,
 Contournant Kinclaven elle arrive ici.
 Ranald et Donald(3) vont dans les roseaux
 Pour couper les ailes de ma poule d'eau!

(Trad. Ch.Souchon © 2004)

(1) Un nom de code pour Charles Edouard Stuart
(2) Couleurs de l'ancien tartan des Stuart (Cf le «papier peint» de cette page)
(3) Les soldats anglais:
A propos de ces noms, M. Paul Ernest note: «Ranald et Donald,» noms typiquement écossais, désignent les «Tuniques Rouges» (les soldats anglais) dans «the Bonnie Moorhen».
Il y a à cela 2 explications possibles. Afin d'en mieux masquer le sens, l'auteur/chanteur du morceau a eu recours à ces patronymes écossais pour égarer les autorités britanniques quant à la vraie portée du chant. Ou bien «Ranald et Donald» désignent des clans écossais anti-Jacobites tels que les Campbell et les MacLeod, qui préfèrent main forte aux Tuniques Rouges qui tentaient de capturer le Prince Charlie après Culloden. (Il faut rendre aux Campbell et aux MacLeod cette justice que nombreux furent ceux qui,désobéissant à leurs chefs, aidèrent le Prince à s'échapper)».

Robert Burns[1] écrivit sa propre version de My bonnie moorhen :

The heather was blooming, the meadows were mawn,
Our lads gaed a-hunting ae day at the dawn,
O'er moors and o'er mosses and mony a glen,
At length they discover'd a bonie moor-hen.

Chorus.
-I rede you, beware at the hunting, young men,
I rede you, beware at the hunting, young men;
Take some on the wing, and some as they spring,
But cannily steal on a bonie moor-hen.

Sweet-brushing the dew from the brown heather bells
Her colours betray'd her on yon mossy fells;
Her plumage outlustr'd the pride o' the spring
And O! as she wanton'd sae gay on the wing.
I rede you, etc.

Auld Phoebus himself, as he peep'd o'er the hill,
In spite at her plumage he tried his skill;
He levell'd his rays where she bask'd on the brae-
His rays were outshone, and but mark'd where she lay.
I rede you, etc.

They hunted the valley, they hunted the hill,
The best of our lads wi' the best o' their skill;
But still as the fairest she sat in their sight,
Then, whirr! she was over, a mile at a flight.
I rede you, etc.

Par les landes en fleurs et par les prés fauchés,
Au point du jour nos gars s'en allaient pour chasser,
A travers la bruyère et par monts et par vaux,
Jusqu'à ce qu'ils découvrent une poule d'eau.

Refrain
-Fais bien attention quand tu chasses, mon garçon,
-Fais bien attention quand tu chasses, mon garçon;
On tire au vol l'oiseau, le chevreuil lors du saut,
Mais on approche sans bruit de la poule d'eau.

Essuyant la rosée de la bruyère brune
Elle était trahie par ses couleurs peu communes;
Son plumage éclipsait tout l'éclat du printemps...
Mue par un caprice, elle s'envola gaiement.
Fais bien attention, etc.

Le vieux Phébus, quand il parut à l'horizon,
Voulut sur son plumage, en dardant ses rayons,
Essayer ses talents, comme elle se chauffait-
En masquant ses rayons, elle se trahissait.
Fais bien attention, etc.

Ils ont battu longtemps et les vaux et les monts,
Les meilleurs de nos gars, en faisant attention;
Mais alors même qu'elle s'offrait à leur vue,
Au loin elle s'envole et l'on ne la voit plus!
Fais bien attention, etc.

(1) Robert Burns (1759-1796) est considéré par tous les Écossais comme leur poète national.

Ye Jacobites by Name

Text by Robert Burns

Ye Jac-o-bites by name lend an ear, lend an ear, Ye Jac-o-bites by name lend an ear; Ye Jac-o-bites by name, your thoughts I will pro-claim, Your doc-trines I mun blame, you shall hear, you shall hear, Your doc-trines I mun blame, you shall hear.

1. Ye Jacobites by name, lend an ear, give an ear!
Ye Jacobites by name, lend an ear,
Ye Jacobites by name,
Your fautes I will proclaim,
Your doctrines I maun blame – you shall hear!

2. What is Right, and what is wrang, by the law, by the law?
What is Right, and what is Wrang, by the law?
What is Right, and what is Wrang?
A short sword and a lang,
A weak arm and a strang, for to draw!

3. What makes heroic strife, famed afar, famed afar?
What makes heroic strife famed afar?
What makes heroic strife ?
To whet th' assassin's knife,
Or hunt a Parent's life, wi bluidy war!

4. Then let your schemes alone, in the State, in the State!
Then let your schemes alone, in the State!
Then let your schemes alone,
Adore the rising sun,
And leave a man undone, to his fate!

1. Vous autres, Jacobites, écoutez, écoutez!
Vous autres, Jacobites, écoutez!
Vous autres Jacobites,
Je veux dire le mal,
Qu'engendrent vos doctrines, écoutez!

2. Qu'est-ce donc qui décide du bon droit, du bon droit?
Qu'est-ce donc qui décide du bon droit?
Qui décide du bon droit?
Pas la longueur d'une épée,
Non plus que la force du bras qui la tient!

3. Que sont donc vos faits d'armes si fameux, si fameux?
Que sont donc vos faits d'armes si fameux?
Vos faits d'armes si fameux?
Coups de poignard dans le dos!
Indigne combat fratricide et sanglant!

4. Ne conspirez plus contre notre Etat, notre Etat!
Ne conspirez plus contre notre Etat!
Laissez là vos complots,
Saluez le jour nouveau,
Et abandonnez un vaincu à son sort!

Charlie is my darling

Version de Lady Nairne

1. Twas on a Monday mornin
Right early in the year
When Charlie came to our town
The Young Chevalier.

Chorus
Charlie is my darlin, my darlin, my darlin,
Charlie is my darlin, the young Chevalier.

2. As he cam' marchin' up the street
The pipes played loud and clear
And a' the folk cam' rinnin' out
To meet the Chevalier.

3. Wi' highland bonnets on their heads
And claymores bright and clear
They cam' to fight for Scotland's right
And for the Chevalier.

4. They've left their bonnie highland hills
Their wives and bairnies dear
To draw the sword for Scotland's lord
The young Chevalier.

5. Oh, there were mony beating hearts
And mony a hope and fear
And mony were the pray'rs put up
For the young Chevalier.

Version de Robert Burns

1. Twas on a monday morning,
Right early in the year,
That Charlie came to our town,
The young Chevalier.

Chorus :
An' Charlie he's my darling, y darling, my darling,
Charlie he's my darling, the young Chevalier.

2. As he was walking up the street,
The city for to view,
O there he spied a bonnie lass
The window looking thro'.

3. Sae light's he jimped up the stair,
And tirled at the pin;
And wha sae ready as hersel,
To let the laddie in.

4. He set his Jenny on his knee,
All in his Highland dress;
For brawlie weel he ken'd the way
To please a bonny lass.

5. It's up on yon heathery mountain,
And down yon scroggy glen,
We daur na gang a milking,
For Charlie and his men.

Loch Lomond

1. By yon bonnie banks and by yon bonnie braes,
Where the sun shines bright on Loch Lomond.
Where me and my true love were ever wont to gae
On the bonnie, bonnie banks O' Loch Lomond.

Chorus:

O ye'll tak' the high road and I'll tak' the low road,
An' I'll be in Scotland afore ye;
But me and my true love will never meet again
On the bonnie, bonnie banks O' Loch Lomond.

2. 'Twas there that we parted in yon shady glen,
On the steep, steep side O' Ben Lomon',
Where in purple hue the Hieland hills we view,
An' the moon comin' out in the gloamin'

3. The wee birdies sing and the wild flow'rs spring,
And in sunshine the waters are sleepin';
But the broken heart it kens nae second spring,
Tho' the waefu' may cease frae their greetin'.

1. Sur le charmant rivage et les paisibles monts,
Baignés de soleil du Loch Lomond.
Ma fidèle amie et moi souvent nous allions,
Sur les charmants rivages du Loch Lomond.

Refrain:

Toi, prends la haute route et moi le sentier den-bas,
Je te précéderai en Ecosse;
Mais avec ma fidèle amie jamais on ne se reverra
Sur les charmants rivages du Loch Lomond.

2. Nous nous étions quittés dans ce sombre vallon,
Sur les monts dans leur pourpre brume,
Où les raides, raides pentes du Ben Lomond,
Voyaient se lever, blafarde, la lune

3. Les oiselets y chantent et y poussent les fleurs,
Et sous le soleil les eaux s'endorment;
Mais coeur brisé ne retrouve pas le bonheur,
Même si un salut apaise sa peine.

Il s'agit de deux soldats de Bonnie Prince Charlie arrêtés à Carlisle après sa retraite d'Angleterre. L'un, marié, fut condamné à mort, l'autre relaché. L'ombre du mort, cheminant sur le sentier d'en-bas, la route des âmes rejoindra l'Ecosse avant son camarade, qui devra parcourir bien des lieues à travers les collines, par la route d'en bas. Mais l'âme du mort ne reverra jamais sa fiancée sur les douces rives du Loch Lomond.

Wae's me for Prince Charlie

Lyrics by William Glen- Text contributed by Paul ERNEST

A wee_ bird_ cam to our_ ha'_ door, He war - bled_ sweet and_ clear - lie, And aye_ the_ o'er come o'_ his_ sang Was "Wae's me_ for Prince Char - lie. Oh when_ I__ heard the bon - nie, bon - nie bird, The tears came drap - pin' rare - ly; I took_ my_ bon - net aff_ my head For weel I__ lo'ed Prince Char - lie.

A wee bird cam' to our ha' door,
He warbled sweet and clearly,
An' aye the o'ercome o' his sang
Was «wae's me for Prince Charlie!»
Oh, when I heard the bonnie, bonnie bird,
The tears cam' drappin rarely,
I took my bonnet aff my head,
For weel I lo'ed Prince Charlie!

Quo' I, «My bird, my bonnie, bonnie bird,
Is this a tale ye borrow?
Or is't a song ye've learnt by rote,
Or a lilt o' dool an' sorrow?»
«Oh! No, no, no,» the wee bird sang,
«I've flown sin mornin' early.
But sic a day o' wind and rain,
Oh, wae's me for Prince Charlie!»

«On hills that are by right his ain,
He roves a lanely stranger,
On ilka side he's press'd by want,
On ilka side by danger.
Yestreen I met him in a glen,
My heart near birsted fairly.
For sadly changed indeed was he.
Oh, wae's me for Prince Charlie!»

«Dark night cam' on, the tempest roar'd,
Loud o'er the hills an' valleys.
An' where was't that your Prince lay down,
Whase hame should ha'e been a palace?
He row'd him in a Highland plaid,
Which cover'd him but sparely,
An' slept beneath a bush o' broom,
Oh, wae's me for Prince Charlie!»

But now the bird some redcoats (1) spied,
An' he shook his wings wi' anger.
«Oh, this is no a land for me,
I'll tarry here nae langer!»
He hover'd on the wing a while
Ere he departed fairly.
But weel I'll mind the fairweel strain,
'Twas «Wae's me for Prince Charlie!»

(1) English soldiers

Devant ma porte un oiseau s'est posé,
Puis son doux chant s'est fait entendre,
Et dans sa chanson l'oiselet disait
«Charlie, le Prince est bien à plaindre!»
Quand j'entendis ce doux, ce doux oiseau,
Je versai bien des larmes.
Alors j'ôtai vivement mon chapeau,
En souvenir du Prince Charles!

Et je disais «O mon oiseau, oiseau charmant,
D'où te vient donc ta cantilène?
As-tu par coeur appris ce triste chant,
Ou clames-tu ta propre peine?»
«Oh! non, oh, non,» reprit le bel oiseau,
«Volant depuis l'aurore,
Dans le grand vent, parmi les trombes d'eau,
C'est le Prince que je déplore!»

«Sur ces monts qui lui reviennent de droit,
Il erre comme une âme en peine,
La faim, le froid guettent en chaque endroit,
Tout comme en chaque endroit la haine.
Hier dans une vallée je l'aperçus,
Ah quel navrant spectacle!,
C'est à peine si je l'ai reconnu!
Anéanti par la débacle!»

«L'orage, tandis que tombait la nuit,
Sur les monts se faisait entendre.
A terre gisait le bon Prince qui,
A un palais pouvait prétendre!
Enveloppé, mais couvert à moitié,
Dans une houpelande,
Savez-vous où votre Prince dormait?
Sous les genêts, dessus la lande!»

L'oiseau battit des ailes en fureur.
Quand vinrent de rouges tuniques (1)
«Je vais quitter cet endroit tout à l'heure,»
Car il me semble bien inique!»
J'entends sa voix retentir dans les cieux,
Puis au lointain s'éteindre.
Dans mon coeur résonne son chant d'adieu,
«Charlie le Prince est bien à plaindre!»

(1) Les soldats anglais.

Flora McDonald's lament
Melody

Paroles : Hogg   Musique : Neil Gow Jr

Far o-ver yon hills of the hea-ther sae green, And down by the cor-rie that sings to the sea, The

bon-nie young Flo-ra sat sigh-ing her lane, The dew on her plaid, and the tear in her e'e. She

look'd at a boat with the breez-es that swung, A - way on the wave, like a bird of the main; And

aye, as it les-sen'd, she sighed and she sung, Fare - weel to the lad I shall ne'er see a-gain! Fare-

- weel to my he-ro, the gal-lant and young! Fare - weel to the lad I shall ne'er see a-gain!

Slow air composed by Neil Gow Jr (1795-1823), son of Nathaniel and grandson of the fiddler Niel Gow. Words by James Hogg, published in his «Jacobite Relics of Scotland, Vol 2» in 1821. Hoggs indicates that he had these verses from Niel Gow, as a translation from the Gaelic and that he versified it anew.

Historical background

Far over yon hills of the heather sae green
An' doun by the corrie that sings to the sea,
The bonnie young Flora sat sighin' her lane,
The dew on her plaid an' the tears in her e'e.
She look'd at a boat wi' the breezes that swung,
Away on the wave like a bird on the main
An' aye as it lessen'd she sigh'd an' she sung,
Fareweel to the lad I shall ne'er see again,
Fareweel to my hero the gallant an' young,
Fareweel to the lad I shall ne'er see again.

The moorcock that crows on the brows o' Ben Connal
He kens o' his bed in a sweet mossy hame;
The eagle that soars o'er the cliffs o' Clan Ronald
Unaw'd and unhunted his eyrie can claim;

The solan can sleep on the shelves of the shore,
The cormorant roost on his rock of the sea;
But ah! there is one whose hard fate I deplore,
Nor house, ha', nor hame in this country has he;
The conflict is past and our name is no more,
There's nought left but sorrow for Scotland and me.

The target is torn from the arm of the just,
The helmet is cleft on the brow of the brave;
The claymore for ever in darkness must rust,
But red is the sword of the stranger and slave;
The hoof of the horse and the foot of the proud,
Have trod o'er the plums on the bonnet of blue;
Why slept the red bolt in the breast of the cloud,
When tyranny revell'd in blood of the true?
Fareweel, my young hero, the gallant and good,
The crown of thy fathers is torn from thy brow.

Mélodie lente composée par Neil Gow Jr (1795-1823) fils de Nathaniel et petit-fils du violoneux Niel Gow. Paroles de James Hogg, publiées en 1821, dans le volume 2 du recueil *Jacobite Relics of Scotland*. Hogg précise qu'il doit ces vers à Niel Gow, celui-ci traduisit (et versifia) en anglais la chanson gaélique originale.

Par delà les monts couverts de verte fougère,
En bas de la combe qui va vers l'océan,
La belle et jeune Flora gémit, solitaire,
Blottie dans son plaid, les yeux de larmes brillants.
Elle regarde un vaisseau qui hisse les voiles,
Et qui fuit sur la vague tel l'oiseau de mer
Et comme il disparaît, elle se lamente:
«Adieu, toi que jamais plus je ne reverrai!
Adieu, jeune héros à l'allure avenante,
Adieu, toi que jamais plus je ne reverrai!»

Si le coq de bruyère sur le Ben Connal chante:
C'est qu'un nid de mousse l'attend pour l'abriter;
L'aigle de Clan Ronald qui survole nos pentes
Possède une aire où nul n'ira l'importuner;
Le fou de bassan dort sur les rocs du rivage,
Le cormoran perche sur quelque rocher;
Oui, mais celui dont le sort amer je déplore,
N'a ni maison ici, ni foyer, ni logis ;
Les vaincus n'ont plus d'arme et nul ne les honore,
Et c'en est fait de moi et de mon cher pays!

Le bouclier est arraché du bras du juste,
Sur le front du brave le casque est brisé;
Le claymore n'est plus qu'un symbole vétuste,
Mais rouge est le glaive du sbire étranger;
Les fers de ses chevaux, les talons de ses bottes
Ont foulé les panaches des bonnets bleus;
Pourquoi l'éclair n'a-t-il dispersé ses cohortes,
Lorsque le sang du juste abreuvait le tyran?
Adieu, jeune et vaillant héros, la mer t'emporte,
Jamais la couronne ne ceindra ton front.

Skye Boat Song (Speed bonnie boat)

Tunes Annie McLeod. Texte by Harold Boulton

Speed bonnie boat, like a bird on the wing
« Onward », the sailors cry
Carry the lad that is born to be king
Over the sea to Skye.

Loud the winds howl, loud the waves roar
Thunder clouds rend the air
Baffled our foe's stand on the shore
Follow they will not dare.

Though the waves leap, soft shall ye sleep
Ocean's a royal bed
Rocked in the deep, Flora will keep
Watch by your weary head.

Many's the lad fought on that day
Well the claymore could wield
When the night came, silently lay
Dead on Culloden's field.

Burned are our homes, exile and death
Scatter the loyal men
Yet, e'er the sword cool in the sheath
Charlie will come again.

Miss Annie MacLeod (Lady Wilson) collected the tune when, in the 1870's, she was on a trip to the Isle of Skye. She was being rowed over Loch Coruisk when the rowers broke out into the rowing song «Cuchag nan Craobh» (The Cuckoo in the Grove). Miss MacLeod fashioned this song into an air which she set down in order to use it later in a book she was to co-author with Sir Harold Boulton. It was he that transformed the initial words of the song:
Row us along, Ronald and John
 Over the sea to Roshven
 into:
Over the sea to Skye
 and introduced the heroic figures of Bonny Prince Charlie and Flora MacDonald.
 Soon people began «remembering» they had learned the song in their childhood, and that the words were 'old Gaelic lines'.
In 1893 a teacher named Margaret Bean composed another set of lyrics to the song:

For instance, Bean's words go:

Waft him, ye winds,
Far o'er the sea,
Far from a traitor's eye,
Fly, little boat,
That our Prince may be free
Over to loyal Skye.

Comme l'oiseau fuyant à tire d'aile,
Vers Skye, barque, hâte-toi!
Sauve celui que la Parque cruelle
Empêcha d'être roi.

   Hurle le vent, rugisse la houle
   Et gronde le tonnerre!
   Tes ennemis accourus en foule
   N'osent braver la mer!

La mer en rage est ta couche royale.
Tu peux dormir en paix,
Au creux des ondes, Flora la blonde
Veillant à ton chevet.

   Plus d'un héros, en ce jour de peine
   Brandissant son claymore;
   La nuit venue, sur la morne plaine
   De Culloden gisait mort.

La mort, l'exil, l'incendie de nos fermes
Ont dispersé les tiens
Mais avant que l'épée sèche en sa gaine,
Charlie, vite, reviens!

(Trad. Ch.Souchon (c) 2003)

Miss Annie MacLeod (Lady Wilson) recueillit cette mélodie dans les années 1870, lors d'un voyage à l'Ile de Skye. Elle traversait en barque le Loch Coruisk quand les rameurs entonnèrent la barcarole «Cuchag nan Craobh» (le coucou dans le fourré). Miss MacLeod façonna ce chant pour en faire un «air» dont elle prit note en vue de l'utiliser plus tard dans un livre qu'elle écrivait en collaboration avec Sir Harold Boulton qui remplaça le texte initial de la chanson et y introduisit les héroïques figures de Bonny Prince Charlie et Flora MacDonald.
Des gens ne tardèrent pas à «se souvenir» qu'ils avaient appris ce chant étant petits et que c'était un 'vieux poème en gaélique'.

Achevé d'imprimer sur les presses de l'imprimerie Keltia Graphic
pour le compte des Éditions Yoran Embanner

le 15 mai 2006

Dépôt légal : 2e trimestre 2006

Blasons des Clans
ayant participé à l'insurrection

Blason royal d'Écosse

Cameron

Chisholm

Drummond

Farquharson

Fergusson

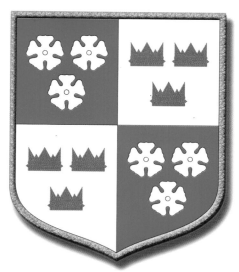

Fraser of Lovat

Gordon

**Grant
of Glenmorriston**

Innes

MacDonald

**MacDonnell
of Glengarry**

**MacDonnell
of Keppoch**

MacGillivray

MacGregor

MacInnes

MacKenzie

MacKinnon

MacIntosh

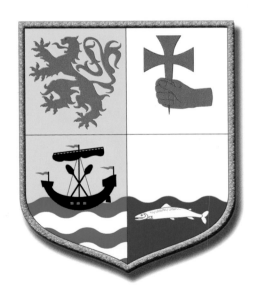

MacLachlan

**MacLeod
of Raasay**

MacPherson

Menzies

Murray

Ogilvy

Robertson   Stewart of Appin